Umbandas

Luiz Antonio Simas

Umbandas:
uma história do Brasil

13ª edição

Rio de Janeiro
2025

CIP-BRASIL. CATALOGAÇÃO NA PUBLICAÇÃO
SINDICATO NACIONAL DOS EDITORES DE LIVROS, RJ

S598u

Simas, Luiz Antonio
Umbandas: uma história do Brasil / Luiz Antonio Simas. – 13. ed. – Rio de Janeiro: Civilização Brasileira, 2025.

ISBN 978-65-5802-044-8

1. Umbanda – Brasil – História. I. Título.

21-72758

CDD: 299.672
CDU: 259.4

Leandra Felix da Cruz Candido – Bibliotecária – CRB-7/6135

Projeto gráfico de miolo: Abreu's System

Texto revisado segundo o novo Acordo Ortográfico da Língua Portuguesa.

Direitos desta edição adquiridos pela
EDITORA CIVILIZAÇÃO BRASILEIRA
Um selo da
EDITORA JOSÉ OLYMPIO LTDA.
Rua Argentina, 171 – Rio de Janeiro, RJ – 20921-380 – Tel.: (21) 2585-2000.

Impresso no Brasil
2025

Sumário

Anexos

NOTA INTRODUTÓRIA

EM TEMPOS CADA vez mais marcados por relações mediadas por redes sociais online, capazes de conectar pessoas ou instituições que a princípio partilham interesses, práticas e objetivos comuns, é impressionante a quantidade de conteúdo vinculado às umbandas: giras, consultas e até entrevistas com entidades veiculadas no YouTube, fotos compartilhadas com textos no instagram, postagens no Facebook, fios no Twitter, vídeos curtos no TikTok, pipocam em grande profusão nas redes. Não surpreende essa produção maciça de conteúdo; a difusão midiática das umbandas aconteceu, ao longo do século XX, na publicação de centenas de livros, programas de rádio e televisão, gravações de discos, impressão de folhetos e jornais, colunas em revistas e jornais populares. Nas encruzilhadas entre os saberes oralmente constituídos e repassados comunitariamente e suas expressões em diversos meios, o repertório umbandista é vasto e de difícil apreensão.

Um mergulho mais profundo neste conteúdo ressalta a enorme heterogeneidade que caracteriza o campo das umbandas. São dezenas de versões sobre a criação da religião, reivindicações de origens, maneiras as mais diversas de organizar as giras, cantar os pontos, vestir as entidades, realizar oferendas, tocar tambor etc. Qualquer reflexão sobre o tema, portanto, parte da constatação de que é praticamente impossível estabelecer uma fixidez dogmática, doutrinária, inquestionável, para práticas religiosas que, no processo mesmo em que ocorrem, vão se transformando, adaptando, redefinindo, de acordo com as dinâmicas relações entre a tradição e a contemporaneidade.

Apenas para me limitar a um exemplo do que sugeri anteriormente, a gira de umbanda tanto pode acontecer em um espaço litúrgico mais convencional, numa comunidade de terreiro, quanto pode ser doméstica, com a médium eventualmente recebendo em casa, para terapêutica familiar de consulta e cura, o espírito de uma preta velha, um caboclo, uma criança, uma pombagira. O atual contexto, marcado pela pandemia de Covid-19, que alterou profundamente o convívio social em 2020 e 2021, certamente repercutiu nas práticas ritualísticas e redefiniu procedimentos, muitas vezes a partir da voz de comando das próprias entidades.

De toda forma, no meio de enorme pluralidade, percebo alguns pontos em comum que caracterizam as mais diversas umbandas. Um dos mais relevantes é a crença nas conexões que existem, ao longo dos tempos, entre o nosso mundo material visível, palpável – e o invisível. O mundo material é composto das pessoas e do ambiente que as cerca: as folhas, as frutas, as águas, as pedras, as árvores, os bichos, as terras, as ruas, as esquinas, as encruzilhadas, as comidas etc.

No invisível, moram ancestrais, espíritos desencarnados, encantados, que interagem com aquilo que se vê: se conectam utilizando os corpos dos vivos – as diversas formas de transe estão presentes nas variadas umbandas — para interagir com a família ou a comunidade, receitam remédios, preparam banhos com as folhas, dançam, brincam, expelem fumaças de cachimbos e, fundamentalmente, curam. Na interação entre o visível e o invisível, busca-se o equilíbrio entre o humano e a natureza, o vivo e o morto, aquilo que se toca e aquilo que se intui, o sagrado e o profano. Entre esses aspectos não existe dicotomia, mas interação.

Entendendo por ecologia um campo de conexões vinculado às maneiras como os seres relacionam-se uns com os outros e com o ambiente em que vivem, sugiro afirmar que as umbandas são ecológicas e podem mesmo ser vistas como constituidoras de um ecossistema encantado, já que o conceito relaciona-se com o número de espécies de um local, mas também com a variação entre organismos e sua abundância.

Outro elemento presente nas mais diversas umbandas praticadas é a percepção de que os corpos são suportes de manifestações de encantamentos diversos. Para isso, eles são ritualizados, preparados, em busca do equilíbrio que as conexões entre o visível e o invisível podem almejar. Ritos iniciáticos de preparação dos corpos – múltiplos, diversos, dependentes de saberes que as comunidades constituem dinamicamente ao longo dos tempos – são fundamentais nesse processo.

Conexão entre os vivos e os mortos, interação profunda com o ambiente, ritualização dos corpos, tecnologias diversas de cura, grande pluralidade de práticas dessas tecnologias, flexibilidade para adequar os ritos ao tempo e ao espaço de suas práticas estão presentes em praticamente todas as designações que se autorreferenciam como "umbanda".

Há quem encare a pratica umbandista como síntese da formação histórica e social brasileiras, a partir de amálgamas entre ritos africanos, indígenas, cristãos europeus etc. Não é esse o princípio que embasa o livro. Sínteses pressupõem resumos acabados de ideias e essências presentes em algum texto ou mesmo uma composição, ou das diversas partes de um todo em uma unidade. Não é disso que se trata.

Entender umbanda como síntese do Brasil percorre o perigoso caminho de apagar as dinâmicas de suas práticas, reelaborações, contradições, tensionamentos, pluralidades e soluções criativas de mundo. Ao mesmo tempo, esbarra na crença de que é possível sintetizar o Brasil de alguma maneira fechada e conclusiva, desconsiderando a complexidade da formação do Estado-Nação brasileiro e da profunda dificuldade de se pensar alguma identidade fixa e unívoca para um processo histórico marcado pela extrema violência da colonialidade contra corpos e saberes não brancos. Se por um lado é erigido esse projeto de espoliação, por outro ocorrem criações incessantes de alternativas de vida — nas fissuras do horror — que esses corpos e saberes atacados produziram como resistência e, mais do que isso, invenção de vida diante da aniquilação e da morte.

As páginas que seguem foram escritas com a perspectiva de que as umbandas afirmam certo modo brasileiro de insistir — a partir da interação com os ancestrais e antepassados e com tudo que nos cerca como um país que é veneno e remédio ao mesmo tempo — na beleza espantosa presente em rituais de afirmação, não da morte, mas da vida.

ABRINDO A GIRA

QUEM SOU EU? *Quem sou eu?* Com essa pergunta abrindo o refrão, a Acadêmicos do Grande Rio, escola de samba do grupo especial do carnaval carioca, entrou na Marquês de Sapucaí para contar, em 1994, a história da umbanda, religião tida por muitos como nascida no Brasil. O título do enredo era sugestivo: "Os santos que a África não viu." O samba começava evocando o continente africano para falar de uma raiz que, saindo de lá, se alastrou pelo Brasil.

A partir daí, a linha do enredo trazia Ogum no mercado dos ciganos, pretos velhos, o catimbó, o culto dos malês, caboclos fascinados por Tupã, as mandingas do dendê pilado e as giras encantadas das águas do norte, o azar e a sorte dos capoeiras, o jongo dos cumbas cumbambás e a corte das pombagiras, para terminar revelando quem era o narrador oculto do refrão, aquele que tem o corpo fechado e é o rei da noite: Zé Pelintra. A comissão de frente, aliás, era composta de doze bailarinos vestidos como Seu Zé, sambando nas regras da malandragem e protegidos por um Ogum com as vestimentas que o orixá utiliza nos candomblés tradicionais.[1]

Alguns umbandistas, adeptos de certa história evolutiva da umbanda que data o nascimento da religião em um evento ocorrido no ano de 1908, se manifestaram à época para dizer que o desfile da Grande Rio contava a história da macumba, e não a da umbanda. E umbanda não é macumba! Para muitos outros, o desfile finalmente contava na avenida a verdadeira história da umbanda, fruto muito mais de acúmulos diversos de sabenças encantadas e de imponderáveis encantos que da anunciação iluminada de uma entidade. Umbanda é macumba!

Quem sou eu? A pergunta do refrão se referia a Zé Pelintra, mas parecia, na verdade, se referir à própria umbanda, uma religião plural e dinâmica que, ao longo dos tempos, mostrou enorme capacidade de adaptação, a ponto de ser praticada em grandes terreiros, nas giras das cachoeiras, nas areias das praias, mas também em salas minúsculas, apartamentos encravados no meio do caos urbano das grandes cidades. A gira podia abrir com cem pessoas ou com duas, na palma da mão ou com a orquestra ritual de grandes atabaques; culto público e universalista e, ao mesmo tempo, profundamente doméstico e brasileiro. A sua avó católica apostólica romana, afinal, bem podia depois da missa ir para casa para receber a Vovó Maria Conga, tomar um café amargo e benzer a meninada

---

1 O samba da Grande Rio é de autoria de Helinho 107, Mais Velho, Rocco Filho e Roxidiê e pode ser facilmente encontrado em plataformas digitais.

da vizinhança suburbana com arruda, guiné, saião, fedegoso e um copo de água.

Quem sou eu?

Para as diversas encantarias, a morte não é uma razão que impeça alguém de continuar dançando. A ontologia dos caboclos foi uma realidade que conheci sem maiores controvérsias, desde criança, no terreiro de macumba comandado por minha avó, Mãe Deda, em Nova Iguaçu, Baixada Fluminense. Refiro-me ao terreiro dessa maneira – de macumba – porque nunca soube de fato como encapsulá-lo em uma definição mais precisa do ponto de vista da procedência ou ritualística. O fato é que desde menino, em suma, nunca achei exatamente extraordinário conversar com mortos que, pelos corpos dos vivos, dançam, brincam, curam, rodopiam e bambeiam. Fogo, vento, água, folha, pedra, areia, rio e flor também bailam, e desde então acho que aquilo que se conhece desde criança não se estranha.

Dona Haydeé da Silva Grosso, a Mãe Deda, era uma alagoana de Porto Calvo, terra de Domingos Fernandes Calabar, que foi ainda adolescente para o Recife. Iniciada no Xangô de Pernambuco, chegou ao Rio de Janeiro em meados da década de 1950 com um matulão encantado. No Sudeste, continuou reverenciando orixás e voduns e, além disso, entrou em intenso convívio com terreiros cariocas que batiam para caboclos, pretos velhos, malandros, pombagiras, exus, crianças, marujos etc. A partir da amizade com Santo Crioulo, sacerdote paraense, também radicado no Rio de Janeiro, travou contato com as famílias das encantadas e dos encantados que correram a gira pelo Norte.

Dessa maneira, o maravilhoso se manifestou para mim com naturalidade na preparação do padê de Exu, no rufar dos tambores misteriosos, na dança desafiadora das iabás, nas flechas invisíveis dos caboclos, nos bois fantasmas laçados pelo boiadeiro Navizala.

Eu vi menino o curupira nas encantarias dançar pelo corpo de Maria dos Anjos; vi Toia Jarina, Rondina e Mariana, princesas do Crescente arrebatadas no Maranhão; ouvi da menina Catita, enquanto me oferecia guaraná e suspiro no chão de terra, a história de seu encantamento em um cipó de jitirana; reverenciei o brado de Japetequara, caboclo do Brasil, nas floradas do pé da sucupira. E tomei, é justo dizer, muita bronca do Caboclo Peri, aconchegado no corpo da avó, ao me repreender por algum desatino.

Nas artimanhas da vida, cruzei com Seu Zé Pelintra; recebi ordens de Seu Tranca Ruas; vi Tupinambá dançar encantado; fui seduzido pela beleza de Sete Saias; temi a presença de Seu Caveira; cantei a alumiação da pedrinha miudinha; respeitei o cachimbo velho de Pai Joaquim; me emocionei quando Cambinda estremeceu para segurar o touro bravo e amarrar o bicho no mourão. Tenho ainda hoje a impressão de que, certa feita, vi o mapa-múndi das aulas de geografia no cocar de Sete Flechas e recorro, por tudo isso, à frase que aprendi com as sertânicas sabedorias de Guimarães Rosa: "eu vi o mundo fantasmo".

Como me interesso muito pelos ritos e pouco, quase nada, pela fé, não tive razões para duvidar do maravilhoso que me arrodeou. A mentira para quem não crê é milagre para quem sofreu, como Jorge de Lima ensina na *Invenção de Orfeu* e a Unidos de Vila Isabel citou em um samba de Paulo Brazão, em 1976.

Nos rodopios que a vida dá, mergulhei em outras experiências, corri outros chãos, nadei em outros mares. Ao tentar me abrir para a amplitude do mundo, todavia, voltei às memórias do terreiro e quero crer que, num país como o Brasil, a ampliação da democracia como tarefa de justiça social – indo muito além da frágil falácia da transformação social como simples ampliação do acesso a bens de consumo – pressupõe o falar de muitas vozes, o descortinar de miradas e a ousadia de experimentar rumos que nos libertem da nossa crônica doença do desencanto, nascida na negação daquilo que podemos ser.

Somos um país forjado em ferro, pelourinhos, senzalas, terras concentradas, aldeias mortas pelo poder da grana, tambores silenciados, arrogância dos bacharéis, inclemência dos inquisidores, truculência das oligarquias, chicote dos capatazes, cultura do estupro, naturalização de linchamentos e coisas do gênero: um Brasil boçal, muitas vezes institucional, bem-sucedido como projeto de aniquilação.

Acontece que no meio de tudo isso, e ao mesmo tempo, produzimos formas originais de inventar a vida onde amiúde só a morte poderia triunfar. Uma brasilidade forjada nas miudezas da nossa gente, alumbrada pela subversão dos couros percutidos, capaz de transformar a chibata do feitor em baqueta que faz o atabaque chamar o mundo; produtora incessante de vida no arrepiado das horas, nas tecnologias do despacho na encruza e na alteridade da fala: língua do congo, canto nagô, baque virado na virada de caboclo estremecendo a aldeia. Macumba!

Mas o que seria, afinal, a macumba? Umbanda é macumba? São questões que precisam ser acariciadas no abrir da gira.

No famoso capítulo VII de *Macunaíma*, Mário de Andrade descreve a visita do personagem-título a uma macumba para Exu realizada na casa de Tia Ciata. No final do capítulo, Mário cita alguns dos macumbeiros – a expressão usada na rapsódia é essa – presentes à gira: Jayme Ovalle, Manuel Bandeira, Blaise Cendrars, Ascenso Ferreira, Raul Bopp, Geraldo Barrozo do Amaral e Antônio Bento. Poucos anos após a publicação de *Macunaíma*, Cecília Meireles expôs os desenhos da coleção "Batuque, samba e macumba" no salão da Pró-Arte, no Rio de Janeiro. Criada no bairro Estácio de Sá, berço do samba urbano carioca e com uma concentração significativa de terreiros de umbanda, Cecília realizou no ano seguinte uma série de conferências em Portugal sobre o assunto.[2]

Na mesma época, a expressão "macumba" chegava com força à nascente indústria fonográfica brasileira. Em outubro de 1930, por exemplo, Elói Antero Dias (o Mano Elói) e Getúlio Marinho (o Amor do Estácio) gravaram, acompanhados pelo Conjunto Africano, a faixa "Macumba (Ponto de Ogum)", que, até onde se sabe, marca o primeiro registro

---

2 As observações sobre a etimologia de macumba aqui expressas foram a mim sugeridas inicialmente por Nei Lopes. Apresentei boa parte da linha argumentativa que segue em um ensaio publicado na *Revista Serrote*, editada pelo Instituto Moreira Salles, número 27, com o título de "M de Macumba" (2020).

da palavra "umbanda" em uma gravação fonográfica. Em agosto de 1940, o alufá José Espinguela gravou a bordo do navio *Uruguai* as faixas "Macumba de Oxóssi" e "Macumba de Iansã", lançadas no álbum *Native Brazilian Music*. Nesse contexto, Pixinguinha e Gastão Viana vinham compondo pontos e curimbas, como "Uma festa de Yaô", "Benguelê", "Uma festa de Nanã" e "No terreiro de Alibibi". Em 1955, Heitor dos Prazeres lançou uma série de pontos que vinha compondo havia tempos, no álbum intitulado *Macumba*, com as faixas "Tá rezando", "Quem é filho de Umbanda", "Vem de Aruanda", "Nego Véio", "Mamãe Oxum", "Segura a pemba", "Vem cá, Mucamba" e "Dom Migué". Desde a década de 1930, J.B. de Carvalho, primeiro como membro do Conjunto Tupy e depois em carreira solo, já se popularizava cantando e compondo pontos.

É fácil notar que para essa geração não havia o menor problema, não chegava mesmo a ser uma questão, fazer referência à umbanda como macumba. Esses exemplos – são muito mais numerosos – registram o uso corrente da palavra para designar, com muita frequência, e especialmente no Rio de Janeiro, os mais diversos cantos e encontros litúrgicos brasileiros entrecruzados por referências africanas.

É comum que diversos praticantes de religiões de fundamentos afroindígenas, na justa luta contra o preconceito religioso em tempos difíceis, compartilhem nas redes sociais a informação de que a palavra "macumba" designa um instrumento africano de percussão, e não uma ritualística sagrada. Segundo os que aderiram a essa corrente, o uso da palavra "macumba" em sentido litúrgico é equivocado e pejorativo. A questão não é nova; ao menos desde a década de 1930 já encontramos, ao mesmo tempo que para Heitor dos Prazeres a umbanda era macumba, uma forte corrente de umbandistas disposta a repudiar o termo para garantir a integridade da umbanda.

Não parece difícil perceber que a preocupação com o uso pejorativo da expressão "macumba" para desqualificar práticas religiosas se deve à forte carga de preconceito a ela atribuída em um país racista. A desqualificação dos cultos de terreiro vem geralmente acompanhada de adjetivos como "diabólicos", "malignos", "bárbaros", "folclóricos" ou "pitorescos". Eles seriam destituídos de fundamentos complexos e incapazes de produzir cosmogonias e visões de mundo que ultrapassem o limite das práticas curativas, simpatias, quebrantos, feitiços etc.

Não custa lembrar que o racismo herdado do colonialismo se manifesta explicitamente pelo viés das características físicas, mas não apenas assim. A discriminação também se estabelece pela desqualificação de crenças, danças, visões de mundo, formas de celebrar a vida, de enterrar os mortos, de educar as crianças e assim por diante.

O discurso do colonizador europeu sobre os indígenas e os povos da África, fortalecido pela expansão imperialista da segunda metade do século XIX, atribuiu a estes a pecha de naturalmente atrasados, primitivos, despossuídos de história, dependentes de elementos externos – como a ciência, o cristianismo, a democracia representativa, a escola ocidental – que poderiam inseri-los subalternamente no processo civilizatório.

É dentro dessa tensão normatizadora que mora a maior das perversidades: o discurso canônico tenta convencer os inferiorizados da suposta supremacia natural de alguns saberes. Com requintes de devastação, inclusive no campo emocional, ele faz com que a vítima em potencial introjete como uma verdade absoluta a visão que a inferioriza. Nas escolas, continuamos, em geral, ensinando às nossas crianças que quem produziu arte foi o Renascimento europeu, quem filosofou foram apenas os gregos e quem tem mitologia são gregos, romanos, germânicos e escandinavos. Ainda precisamos lutar no campo da educação para o pleno cumprimento da lei nº 10.639, que torna obrigatório o estudo da história e cultura africana e afro-brasileira, e da lei nº 11.645, que acrescenta à lei nº 10.639 o ensino da história e da cultura indígena.

É nesse sentido que a macumba, ao longo do século XX, começou cada vez mais a ser vista apenas como um aglomerado de procedimentos mágicos desprovidos de suportes doutrinários capazes de dotá-los até mesmo do sentimento religioso, como se possível fosse definir o que seria isso.

Mas afinal, macumba é um instrumento? É, sem dúvida. O instrumento macumba é uma espécie de reco-reco tocado com duas varetas, uma fazendo o grave e outra, o agudo. O termo tem provável origem no quimbundo *mucumbu*, "som".[3] O instrumento macumba foi relativamente popular na época

---

3 Nei Lopes, *Dicionário banto do Brasil*, 2003, p. 132.

dos pioneiros do samba, e João da Baiana falava com frequência de sua importância. Há ainda quem sugira que a palavra, certamente de origem banto, designa uma árvore africana da família das *lecitidáceas*, cuja madeira era usada na produção do instrumento musical. Por isso, o instrumento passou a ser chamado pelo mesmo nome de sua matéria-prima. Macumbeiro, portanto, é um instrumentista que toca macumba. Correto. Mas é só isso?

Na perspectiva deste livro, macumba é instrumento e pode ser diversas outras coisas, mas designa também e sobretudo um conjunto de rituais religiosos, no sentido da ligação que promovem entre os humanos e o mistério, resultantes do amálgama tenso e intenso de ritos de ancestralidade dos bantos centro-africanos, calundus, pajelanças, catimbós, encantarias, cabocladas, culto aos orixás iorubanos, arrebatamentos do cristianismo popular, espiritismos e afins. A confusão entre o instrumento e os rituais deve-se, provavelmente, a uma encrenca no campo da etimologia.

O filólogo e etimólogo Antenor Nascentes, em seu *Dicionário etimológico da língua portuguesa*, segue Jacques Raimundo (autor do seminal *O elemento afronegro na língua portuguesa*, de 1933) e sugere que macumba, no sentido dos ritos, vem do quimbundo *dikumba* – "cadeado" ou "fechadura" –, talvez em referência a cerimônias secretas de fechamento dos corpos. Nei Lopes, no *Dicionário banto do Brasil*, defende que o termo vem do quicongo *kumba* – "feiticeiro" (o prefixo *ma*, no quicongo, forma o plural). Outros especialistas indicam que a origem é mesmo esta última, como menciona Robert Slenes em seu estudo fundamental sobre o jongo.[4]

A expressão "macumba", portanto, pode designar tanto uma espécie de reco-reco como as cerimônias religiosas. A etimologia, porém, é distinta nos dois casos: a primeira deriva do quimbundo e a segunda, do quicongo. De antemão, é importante dizer que esse jogo é travado no campo das sugestões. A etimologia, não raro, é um campo do saber quase detetivesco, em que as pistas vão sendo colhidas para que se estabeleça uma hipótese, mediante evidências, capaz de elucidar o mistério.

O caso das línguas banto é complexo e me limitarei a um exemplo: enquanto *kumba*, no quicongo, é "feiticeiro", em umbundo designa tanto o conjunto de serviçais domésticos como um grupo de familiares que moram num mesmo cercado. *Kumbi*, no quimbundo, é "sol". No quioco, língua que também forma o plural com o prefixo *ma*, é "gafanhoto"; *makumbi*, portanto, designa um bando de gafanhotos. O complexo cultural banto, expresso na sofisticação e variedade de suas falas, é desafiador e faz cair por terra a visão produzida pelo colonialismo de que a África é uma unidade desprovida de nuances.

"Macumba" é uma palavra em disputa que, neste livro, adquire, portanto, caráter brincante e político, que subverte sentidos preconceituosos atribuídos de todos os lados ao termo repudiado e admite as impurezas, contradições e rasuras

---

4 *Ibidem.*

como fundantes de uma maneira encantada de encarar e ler o mundo no alargamento das gramáticas.[5] Se a expressão "macumba" vem muito provavelmente do quicongo *kumba*, "feiticeiro", vale lembrar que para os congos é na palavra que reside o poder primeiro de encantar o tempo. Os *kumbas* são, também por isso, os encantadores das palavras, poetas do verbo. O terreiro de macumba seria, então, a terra dos velhos poetas do feitiço; os encantadores de corpos e palavras que podem fustigar razões intransigentes que não são propensas às múltiplas formas de experimentar o mundo.

Segundo essa trilha, a primeira parte deste trabalho passeará pelas terras dos poetas do encantamento e falará, através de alguns ensaios, de macumbeiras e macumbeiros diversos: profetas das santidades indígenas, calunduzeiras, mestras das danças de tunda, pajés, caruanas do fundo das águas, orixás, portadores das bolsas de mandinga, juremeiras, malandros divinos, pombagiras, ciganas etc.

Longe de querer esgotar qualquer assunto, o que se pretende é sugerir a existência, no Brasil, de um ecossistema de sabenças encantadas que operam dinamicamente na dimensão do alargamento da experiência do ser no mundo. O bordado desses encantamentos diversos pressupõe a interação entre o visível e o invisível e a diluição de fronteiras entre o humano e o natural.

Há em toda essa pluralidade ainda uma dimensão de corporeidade que escapa da mera ideia de motricidade e percebe

5 Luiz Antonio Simas e Luiz Rufino, *Fogo no mato*, 2018.

os corpos como suportes de manifestações de encantamentos, em transes de expressão do que já no corpo mora e de incorporação daquilo que, fora do corpo, nele eventualmente se aconchega e passeia para arrepiar o mundo.

Os corpos aqui são aqueles que, em um ponto de pombagira cigana, ganham contornos da barraca ancestral em que o ser se abriga e tem dimensões motoras, afetivas, sociais e espirituais: "ganhei uma barraca velha/ foi a cigana que me deu/ o que é meu é da cigana/ o que é dela não é meu". O corpo encantado é, portanto, aquele que dá um drible no corpo domesticado, adultizado e adulterado pela lógica produtiva do tempo do trabalho.

Há ainda, nessas sabenças encantadas, a diluição de barreiras entre o sagrado e o profano, tão caras às reflexões ocidentais: o profano é sacralizado e o sagrado é profanado o tempo todo. Morte e vida não são meras condições fisiológicas: a morte é a espiritualidade do desencanto e a vida é a disponibilidade para o encantamento. Muitos mortos, lembremos disso, dançam. Muitos vivos parecem ter perdido a capacidade de dançar.[6]

Todas essas sabenças encantadas, terras dos velhos poetas do feitiço, elaboram modos de relacionamento com o real fundamentados na crença em energias vitais que residem em cada um, na coletividade, em objetos, alimentos, elementos da natureza, nos diálogos entre corpos e música.

---

6 Luiz Antonio Simas, *O corpo encantado das ruas*, 2019.

Essas energias aqui citadas precisam ser constantemente renovadas, comportam rasuras, contradições, espantos, beleza, desconcerto, alegria, transigência, e elaboram tecnologias de cura que muitas vezes nos escapam, sobretudo quando tentamos explicá-las. A poética do encantamento se consuma como vida no momento mesmo em que dela nada mais se alcança a não ser a percepção de que o mundo, momentaneamente, se desloca e já não nos é mais apreensível pela palavra que se pretende exata. Nessas horas, convém apenas espiar, quando a tarde cai e o tempo se alimenta, o vento.

Na segunda parte do trabalho, discutirei o campo da codificação, especialmente na primeira metade do século XX, das umbandas, a partir da perspectiva de que elas são um sintoma do Brasil; manifestações que auxiliam na formulação de diagnósticos, ao emitir sinais diversos e multifacetados, sobre o problema brasileiro.

Nesta mirada mais política, mas ainda poética, refletiremos sobre as disputas que se estabelecem no campo simbólico em que se edifica a umbanda como religião, incluindo aí a elaboração de mitos de origem e a invenção de tradições. De um lado, temos uma concepção de umbanda que abraça o mito das três raças formadoras da identidade nacional, dentro de uma perspectiva marcada por certa ideia de mestiçagem hierarquizada, em que a cultura europeia depura os elementos indígenas e africanos de suas características primitivas e os insere em um processo evolutivo no caminho da legitimidade social e do que se imagina ser a civilização. Tal codificação dialoga com o projeto de construção identitária preconizado, especialmente, pelo Estado Novo de Getúlio Vargas, ultrapassando de longe seus limites na construção do Estado-Nação.

A outra concepção é a que preconiza para a umbanda uma origem africana, mais especificamente ligada às culturas bantos, oriundas da costa do Congo-Angola, e se expressa com mais nitidez na autorreferente umbanda omolokô. Nesse caso, examinaremos com mais atenção a trajetória do sacerdote Tancredo da Silva Pinto, o intelectual umbandista que formulou de forma mais incisiva os elementos dessa corrente. A umbanda omolokô não está desvinculada de um contexto mais amplo em que os debates sobre a negritude, o racismo e o protagonismo do movimento negro se colocam na ordem do dia.

De antemão é justo dizer o que este livro não pretende ser. Ele não pretende ser manual de teologia, discutir fundamentos religiosos, descrever rituais, definir o que é umbanda, ensinar o que quer que seja do ponto de vista da prática religiosa e muito menos dar conta de uma história descritiva dos ritos aqui citados. Passa longe, ainda, da intenção – seria melhor até dizer da ilusão – da totalidade em um tema inesgotável. Ainda que passeie pelo Brasil – há umbandas do Oiapoque ao Chuí –, este livro é muito marcado pela circunstância da cidade do Rio de Janeiro, lugar de onde falo; marcado pelas marés do samba que, do outro lado do grande mar, rebombam nos sembas da costa de Angola. Nasci e cresci em uma cidade civilizada por muita gente, mas especialmente pelos bantos. Este livro não é escrito por um umbandista, e por isso não tem qualquer pretensão teológica ou de escolarização das ritualísticas de terreiros, mas certamente é escrito por um carioca.

Não esperem encontrar nas páginas que seguem a defesa ardorosa de mitos de origem que marcariam o nascimento da umbanda. Para a perspectiva aqui proposta, as umbandas não são filhas de origens datadas, mas de acúmulos de sabedorias encantadas diversas que dinamicamente se articulam em cultos multifacetados, plurais, abertos para alteridades e alterações e, ao mesmo tempo, profundamente tradicionais. A função da História, afinal, não é a de abraçar os mitos, mas a de dissecá-los com certa frieza de legista. Os mitos aqui serão trabalhados como discursos sobre o real que, ainda que sejam objetivamente recusáveis, não são fabulações desprovidas de sentidos, mas realidades que fundamentam rituais, condutas exemplares: dão sentidos de pertencimento a determinados agrupamentos sociais e, como alertou Mircea Eliade, formam realidades culturais complexas, que podem e devem ser abordadas através de perspectivas múltiplas e complementares.[7]

As umbandas são, nesta perspectiva, muito mais o resultado de contatos diversos, circularidades culturais e entrecruzos que se codificam de múltiplas formas. Particularmente, sou partidário da autorreferência: umbanda é aquilo que vai se referenciar debaixo desse guarda-chuva, dentro de um ecossistema de sabenças encantadas – gosto de pensar em um complexo das macumbas – que bordam as nossas distintas maneiras de lidar com o mistério e as tecnologias de cura. De

7 Mircea Eliade, *Mito e realidade*, 2000.

culto doméstico, ligado ao antepassado da família que eventualmente baixa para interagir com os seus, a culto edificado na estrutura hierárquica de um terreiro, o importante aqui é entender os sentidos produzidos pelos praticantes e o que eles nos revelam sobre o chão e o tempo.

Afastando-me das pretensões de escrever um livro sobre práticas religiosas, o que se pretende aqui, em síntese, é pontuar algumas questões sobre o Brasil: seus dilemas, dramas, contradições, violências, paradoxos, horrores, soluções e belezas, cruzados o tempo inteiro pelo necessário debate acerca do Estado-Nação. Para fazer isso, percorreremos as encruzilhadas em que se encontram o ensaio, a crônica e a História, beirando a poesia.

Este livro, o título já revela, não tem a pretensão de contar a história da umbanda ou das umbandas diversas. Esta tarefa tem sido brilhantemente cumprida por muitas estudiosas e muitos estudiosos da religião e vem sendo também desenvolvida por uma turma boa de jovens umbandistas, atuantes nas redes sociais e nos terreiros.

O que se contará aqui é apenas, a partir das umbandas, uma história – e não a História, porque a singularidade não cabe na nossa experiência – do Brasil.

PARTE I

Poéticas do Encantamento

1. SANTIDADES, CALUNDUS, DANÇAS DE TUNDA

A santidade de Jaguaripe e o espanto dos jesuítas

CONVERTIDO AO CATOLICISMO e batizado pelos jesuítas com o nome do santo nascido em Lisboa que realizou prodígios extraordinários e foi capaz até mesmo de pregar o evangelho aos peixinhos do mar, o indígena Antônio fugiu do aldeamento cristão de Tinharé, em São Jorge dos Ilhéus, e foi para Jaguaripe, no sul da Bahia, pelos idos de 1580. Lá chegando, afirmou ser Tamanduarê, o ancestral tupinambá que, durante o dilúvio mandado por Monan para destruir a Terra, refugiou-se no alto da mais alta palmeira para escapar da inundação promovida pelo deus irado e aguardar os primeiros raios do sol.

Ali, em Jaguaripe, Antônio afirmou-se papa, nomeou bispos, casou-se com uma nativa, a quem denominou de Santa Maria Mãe de Deus, e comandou o caraimonhaga, ritual baseado em cantos e danças, em que os participantes bailavam inebriados pelas fumaças cachimbadas da erva santa

– forma como os portugueses comumente chamavam o tabaco – e emprestavam o corpo para que os ancestrais mortos bailassem também.

Sobre o templo erigido pelos adeptos da Santidade de Jaguaripe, uma testemunha da época, Simão Dias, afirmou a um processo instaurado contra o movimento que "à porta do terreiro ficava uma cruz de pau, e no interior, penduradas pelas paredes, diversas tabuinhas de madeira, pintadas com uns riscados que eles diziam ser seus livros. No centro do terreiro aparecia uma estaca alta de madeira enterrada no chão, sobre a qual se postava o ídolo de pedra, que tinha uma cara com olhos e nariz enfeitado com paninhos velhos".[8]

O que aconteceu em Jaguaripe não foi um fato isolado no Brasil colonial. Consta que as cerimônias dos nativos da terra baseadas em cantos, danças, bebedeiras de cauim, sucções de tabaco e transes místicos de evocação aos antepassados mortos foram chamadas a primeira vez de "santidades" por um assustado padre Manoel da Nóbrega, em 1549.

Nóbrega foi um jesuíta português que desembarcou no Brasil com o primeiro governador-geral, Tomé de Sousa, convidado pelo próprio rei dom João III. Chegou aqui com a missão de comandar a catequese dos indígenas e, num primeiro momento, de acordo com o que escreveu, achou que a tarefa não seria das mais difíceis. Apostou que os nativos "não tinham fé, nem lei, nem rei", frase repetida por diversos cronistas que visitaram a terra invadida pelos portugueses

---

8 Ronaldo Vainfas, *A heresia dos índios*, 1995.

em 1500. É de Nóbrega a máxima – expressa em uma das centenas de cartas que escreveu e que formam preciosa documentação sobre aqueles tempos – de que os indígenas "eram como papel branco onde se poderia escrever à vontade".

Não tardou para que Nóbrega, como diversos outros padres registram, percebesse que o buraco era mais embaixo. São inúmeros os relatos de jesuítas impactados com as relações que muitos nativos tinham com os pajés das culturas tupis, genericamente chamados pelos padres de "feiticeiros", e com os rituais de canto e dança que evocavam os espíritos dos mortos.

Espantava também como as santidades indígenas – há o registro de dezenas delas – que se espalhavam pela costa brasileira não apenas no século XVI, mas também no XVII, conforme registrado pelos frades franceses Claude d'Abbeville e Yves d'Evreux, tinham forte caráter anticolonial. Elas em geral faziam exortações contra os portugueses, contra a escravização e contra os padres catequistas, estimulando ataques a engenhos, igrejas e missões jesuíticas.

O caso da Santidade de Jaguaripe, o mais documentado, impressiona por não permitir que encontremos a fronteira entre o que seria indígena e o que seria católico no movimento. Registros sobre as santidades falam de evocações à santa cruz, orações com rosários feitos com sementes de frutas da terra, cerimônias de batismo que uniam óleos santos e a fumaça dos cachimbos em formato de caniços, consagração de santos, danças festivas embaladas ao som de maracás enfeitadas com penas de papagaios.

Para a exasperação dos jesuítas e de um projeto colonizador ao mesmo tempo ancorado na catequese das almas e na domesticação dos corpos – escravizados para o trabalho, contidos e apavorados por um imaginário que vê nos corpos âncoras onde as caravelas de todos os pecados aportam –, a tentativa de impor o cristianismo a partir da aproximação com os códigos de mundo dos povos originários poderia gerar tanto fenômenos de cristianização das ritualísticas e dos imaginários indígenas, quanto uma espécie de tupinização das práticas e dos credos dos europeus.

Entre a marianização da índia e a caboclização da Virgem Maria, nas frestas das oblações eucarísticas, as maracás ainda evocavam os ribombos das trovoadas para que os mortos viessem encontrar os vivos, aos pés do cruzeiro ou do araticum do mato. Não há nada na nossa história que indique, afinal, que a morte seja uma razão para que os caboclos não estejam mais vivos e dançantes.

Acotundás e Calundus

É através dos inquéritos do Santo Ofício da Inquisição que sabemos mais sobre o Acotundá na casa de Josefa Maria, negra forra do arraial de Paracatu do Príncipe, Minas Gerais, no século XVIII. O Acotundá também é referido como Dança de Tunda,[9] e seria dedicado às divindades dos negros da nação Courá, na região da Costa da Mina.

---

9 Luiz Mott, "Acotundá", 1996.

No centro da casa, era colocado um boneco com a cabeça coberta por um pano branco que deixava expostos apenas o nariz e os olhos. O objeto ficava em um pequeno tapete, por cima de travesseiros cruzados. Em torno dele, algumas panelas de barro traziam ervas cozidas; outras, ervas cruas e punhados de terra.

Ao lado de Josefa Maria, a negra Mina Caetana falava sobre o Deus criador da natureza, se comunicava com os antepassados mortos e se dizia afilhada de Santo Antônio e filha de Nossa Senhora do Rosário.

Quando o Acotundá foi reprimido, a partir de denúncia em 1747, o inquérito instaurado para investigá-lo, que ouviu entre as testemunhas seis negras referidas como da Costa Mina e três portugueses, dá pistas preciosas para que saibamos mais sobre seus ritos. No interior da casa – com paredes de barro, porta de couro e coberta com capim – encontrou-se um altar com várias cabaças, uma panela de barro com água, uma panela pintada aparentemente com sangue e espinhas de peixe. Em uma pequena casa contígua, um pano branco cobria uma pintura dos mistérios de Jesus Cristo – Paixão, Morte, Ressurreição e Ascensão aos céus.

Mais presentes que as referências à dança de tunda são os relatos sobre os calundus praticados no período colonial. Sobre eles, há estudos extremamente interessantes que apresentam perspectivas diversas sobre no que é que consistiam.

A primeira descrição mais pormenorizada que temos sobre os calundus no Brasil colonial está em um livro publicado em Lisboa, em 1728. O imenso título já demonstra o teor do relato: *Compêndio narrativo do peregrino da América em que se tratam de vários discursos espirituais e morais, com muitas advertências e documentos contra os abusos que se acham introduzidos pela malícia diabólica no Estado do Brasil.* O autor, Nuno Marques Pereira, era um padre preocupadíssimo com a presença do diabo no dia a dia dos brasileiros e convencido de que o Brasil era uma espécie de covil onde Satanás pintava e bordava. O enredo descreve a viagem que certo "peregrino" faz da Bahia de Todos os Santos à Capitania das Minas. Em certo trecho, que Luís da Câmara Cascudo considerava ser o mais remoto relato sobre a antiguidade de cultos afro-brasileiros, diz o autor:

> (...) Não pude dormir toda a noite. Aqui, acudiu ele logo, perguntando-me que causa tivera. Respondi-lhe que fora procedido do estrondo dos tabaques, pandeiros, canzás, botijas e castanhetas, com tão horrendos alaridos, que se me representou a confusão do Inferno. E para mim, me disse o morador, não há coisa mais sonora, para dormir com sossego. Se eu soubera que havíeis de ter este desvelo, mandaria que esta noite não tocassem os pretos seus calundus.[10]

O peregrino obcecado com o demônio não conseguiu dormir, portanto, em virtude dos batuques dos pretos, aqui referidos como calundus. Interessado em saber do que se tratava, e convencido da presença do Cramulhão entre nós,

10 Luís da Câmara Cascudo, *Dicionário do folclore brasileiro*, 1980, p. 229.

ele pergunta ao anfitrião o que seriam esses tais calundus e escuta a seguinte resposta:

> São uns folguedos ou adivinhações (me disse o morador) que dizem estes pretos que costumam fazer nas suas terras, e quando se acham juntos, também usam deles cá, para saberem várias coisas, como as doenças de que procedem, e para adivinharem algumas coisas perdidas; e também para terem ventura em suas caçadas, e lavouras, e para muitas outras coisas.[11]

Antes de Nuno Marques Pereira, o poeta Gregório de Matos, que viveu em Salvador, Bahia, no século XVII, versejou:

> Que de quilombos que tenho
> com mestres superlativos,
> nos quais se ensinam de noite
> os calundus, e feitiços.
> Com devoção os frequentam
> mil sujeitos femininos,
> e também muitos barbados,
> que se presam de narcisos.
> Ventura dizem, que buscam;
> não se viu maior delírio!
> eu, que os ouço, vejo e calo

---

11 Nuno Marques Pereira, *Compêndio narrativo do peregrino da América*, 1939, pp. 123-124.

por não poder diverti-los.
O que sei, é, que em tais danças
Satanás anda metido,
e que só tal padre-mestre
pode ensinar tais delírios.
Não há mulher desprezada,
galã desfavorecido,
que deixe de ir ao quilombo
dançar o seu bocadinho.
E gastam pelas patacas
com os mestres do cachimbo,
que são todos jubilados
em depenar tais patinhos.
E quando vão confessar-se,
encobrem aos Padres isto,
porque o têm por passatempo,
por costume, ou por estilo.
Em cumprir as penitências
rebeldes são, e remissos,
e muito pior se as tais
são de jejuns, e cilícios.
A muitos ouço gemer
com pesar muito excessivo,
não pelo horror do pecado,
mas sim por não consegui-lo.

O poeta não consegue fugir ao imaginário da demonização dos cultos afro-brasileiros, tão ao gosto da perspectiva jesuítica, e, para variar, vincula-os à presença de Satanás. Apesar disso, o poema é precioso ao deixar pistas sobre o rito: a importância das músicas e danças, o uso da fumaça pelos mestres do cachimbo, os aspectos de cura dos males do corpo e da alma etc. O Boca do Inferno, alcunha que o poeta recebeu, ainda destaca certa peculiaridade da religiosidade desenvolvida no Brasil: as mulheres e os barbados brancos que frequentam as igrejas enquanto, escondidos, apelam por boa sorte nos calundus dos pretos. Tal prática, a do "sujeito de bem", devoto de Nosso Senhor Jesus Cristo, que vai escondido ao terreiro, continua presente no século XXI.

Para Câmara Cascudo, no verbete sobre calundus no *Dicionário do folclore brasileiro*, a palavra "calundu", com tempo, perdeu o sentido de rito religioso e acabou vinculada aos males que os batuques combatiam; os estados negativos do humor e alma.[12]

Sobre a etimologia da palavra "calundu", Nei Lopes sugere que ela se origina do quimbundo *kilundu*: ancestral.[13] Já Yeda Pessoa de Castro, que registra o uso da expressão em poema de Gregório de Matos, atenta para um sentido original ligado ao quimbundo *kalundu*: obedecer a um mandamento, realizar um culto, invocando os espíritos, com música e dança. Aponta também para o quicongo *kilunda* e o quimbundo *kialundu*; o que recebe o espírito, ressaltando que o sentido que vincula calundu ao mau humor

12 Luís da Câmara Cascudo, *Dicionário do folclore brasileiro*, 1980.
13 Nei Lopes, *Dicionário banto do Brasil*, 2003, p. 57.

talvez venha do aspecto carrancudo do rosto daquele que é possuído em transe pela divindade.[14]

O caso mais famoso de calundu no Brasil colonial – em virtude da investigação produzida pela Santa Inquisição de Lisboa – foi o referente à angolana Luzia Pinta, referida como calunduzeira em região próxima a Sabará, Minas Gerais, no final da década de 1730. Por calunduzeira, define-se a pessoa que pratica o calundu.

Ao mergulhar nos arquivos sobre as Minas Gerais setecentistas, Laura de Mello e Souza encontrou referências diversas em inquéritos sobre os calundus, que pareciam indicar que a denominação era usada para designar práticas religiosas variadas dos negros bantos, com referências constantes a danças coletivas, batuques e ritos curativos envolvendo ervas, comidas e pequenos embrulhos contendo fragmentos de ossos, fios de cabelo e unhas.[15]

O processo sobre Luzia Pinta, todavia, nada tem de genérico, apresentando uma riqueza de detalhes surpreendente e se constituindo em um documento extraordinário para os estudos sobre as religiosidades não brancas no Brasil Colonial.

Sobre Luzia Pinta, sabe-se que aos 12 anos de idade já era escravizada em Angola, de onde veio para o Brasil. Segundo testemunhas, nas cerimônias do calundu de Sabará, Luzia se vestia com saias brancas, usava trufas e panos de cabeça, eventualmente dançava com espadim nas mãos e ainda en-

14 Yeda Pessoa de Castro, *Falares africanos na Bahia*, 2001.

15 Laura de Mello e Souza, "Revisitando o calundu", 2002.

feitava a cabeça usando uma espécie de grinalda de penas e penachos de aves.

Acompanhada por pessoas que cantavam e tocavam timbales ou atabaques pequenos, Luzia entrava em transe – segundo o inquérito "ficava fora de seu juízo" –, fazia mesuras e cortesias para saudar os presentes e começava a cuidar das pessoas que estavam doentes, indicando que tipos de remédios deveriam ser feitos e tomados para cada problema de saúde. Receitava bebidas feitas com vinhos ou a partir da maceração de ervas diversas, papas de farinha e raiz de butua, planta típica da Mata Atlântica e também conhecida como jabuticaba de cipó. Para alguns, fazia amuletos com pau santo enrolado a uma fita, considerando que uma vez amarrada no braço, a fita teria o poder de afastar qualquer feitiçaria. Era também comum que algumas pessoas deitassem no chão e fossem esfregadas, como se estivessem sendo limpas, com ervas diversas.

No depoimento confessional que foi obrigada a dar ao Santo Ofício da Inquisição, que a levou de Sabará a Lisboa, onde foi submetida a sessões de tortura, Luzia declarou ter herdado a "doença dos calundus", que deixa a pessoa prostrada, perdida no tempo e sem saber como agir, de uma tia chamada Maria Independia. Afirmou ainda ter se sentido pela primeira vez assim durante uma missa, em Sabará. Sem saber como agir nas circunstâncias que se repetiam, Luzia foi atendida por um escravizado de nome Manuel de Miranda, que ensinou a ela como se curar daquela sensação tocando tambores e fazendo os rituais que ela, ao aprender, passou a repetir para curar os outros.

Para os inquisidores, Luzia declarou que o poder de cura que possuía vinha de Deus, pela interseção ainda de Santo Antônio e São Gonçalo Garcia. As referências aos santos católicos tanto podem ser efetivamente derivadas de um processo de cruzamentos culturais como podem ter sido feitas com o objetivo de aplacar a sanha do Santo Ofício, useiro e vezeiro em torturar os seus interrogados e disposto a considerar que qualquer ritual centrado em estados de alteração da consciência e de corpos em transe pertenceria ao campo do maligno. É no corpo, afinal, que o pecado se manifesta com contundência.

O corpo

Na tradição canônica do Ocidente, o corpo foi encarado – com seus ossos, músculos, veias, artérias, cartilagens, diversos órgãos etc. – como uma materialidade desvinculada da mente e inferior a esta. Neste sentido, conhecer é encarado como um ato superior a operar; contemplar e compreender o mundo é superior a agir sobre ele.

Nas reflexões platônicas, a perfeição não pode ser atingida em virtude do corpo, que surge como um obstáculo a esta. A matéria, afirmou Platão no *Banquete*, imprime um grau de imperfeição que impossibilita a existência de um Universo absolutamente perfeito. O próprio ser está ligado a esta limitação, já que o mundo das ideias pode ser maculado pela imperfeição da matéria, e é exatamente a capacidade de transcender ao corpo que pode abrir caminho para a experiência sublime do belo.

A estruturação do cristianismo, por sua vez, especialmente com os escritos de Paulo de Tarso, desenvolve-se a partir de certa tradição judaica alicerçada na ideia de que o mundo foi criado perfeitamente por Deus, mas descambou para a imperfeição quando os homens cederam aos ardis, às seduções e tentações de entidades malignas. Buscar a salvação, deste modo, impõe o exercício cotidiano de uma austeridade expressa no controle do corpo; com jejuns, intransigência moral, purificações rituais, cumprimento rígido do calendário religioso, sacrifícios de expiação etc. A santificação, por exemplo, só se obtém pela renúncia.

Já Descartes, no século XVII, elabora a mais radical reflexão sobre o dualismo entre o corpo e a matéria, compreendendo a natureza a partir de uma divisão entre reinos independentes; o da mente (*res cogitans*) e o da matéria (*res extensa*). Neste caso, o corpo é tão somente uma matéria incapaz de compreender o mundo; tarefa só realizável pelo intelecto, sendo a razão humana o único caminho para a obtenção da verdade.

Ao contrário disso, as tradições afroindígenas não percebem o ser humano como cindido, e sim como resultado da interdependência entre todas as coisas. A corporeidade, para estes saberes, não engloba só a motricidade (entendida como corpo e movimento), mas também envolve dimensões afetivas, intelectuais, sociais e espirituais do ser humano.

Os sentidos e os bantos

Mas quais são, afinal, os múltiplos sentidos que os calundus têm para o processo dinâmico de elaboração das práticas religiosas no Brasil? Alguns estudiosos, como James Sweet, consideram que o calundu colonial resulta de um processo de aglutinação de variados ritos centro-africanos que, com o objetivo de praticar a cura, apresentam como elemento de amálgama o transe de possessão por espíritos versados nas tecnologias do curar.[16] Neste sentido, o calundu seria basicamente uma religião centro-africana que aqui se redefine.

Já Alexandre Marcussi sugere que o calundu se insere em uma zona de mediação intercultural, que nem é banto e nem é portuguesa, elaborando um repertório simbólico duplo – sem que uma cosmologia anule a outra – que é acionado de acordo com as circunstâncias apresentadas.[17]

De toda forma, a relação entre os calundus e as cosmogonias dos bantos é evidente. Na polifonia que vai configurando dinamicamente as macumbas, com dinâmicas fluidas, complexas, que o tempo inteiro se redefinem, articulam e rearticulam tecnologias de encantamento e cura, investigar as perspectivas de mundo dos bantos é fundamental.

Mas quem seriam exatamente eles, os bantos? Cito Nei Lopes, um especialista no assunto, que por banto define "cada

---

16 James Sweet, *Recriar África*, 2007.

17 Alexandre Marcussi, "Estratégias de mediação simbólica em um calundu colonial", 2006.

um dos membros da grande família etnolinguística à qual pertenciam, entre outros, os escravizados no Brasil chamados de angolas, congos, cabindas, benguelas, moçambiques etc. e que engloba inúmeros idiomas falados, hoje, na África Central, Centro-Ocidental e parte da África Oriental. A palavra vem do termo multilinguístico ba-ntu, plural de mu-ntu, pessoa, indivíduo".[18]

Grande parte dos bantos que chegaram ao Brasil era oriunda, sobretudo, do Reino do Congo, que antes da chegada dos portugueses à costa centro-africana esparramava-se por um extenso território que incluiria hoje o noroeste de Angola, a região de Cabinda, o sudoeste e oeste da República do Congo, a parte oeste da República Democrática do Congo e a parte centro-sul do Gabão.

Os congos (entendidos aqui como os bantos oriundos do citado reino) estruturaram suas cosmogonias a partir da ideia de que a existência fundamenta-se em uma pirâmide vital dividida entre o mundo visível e o invisível. O samba "Sei lá, Mangueira", da dupla Paulinho da Viola e Hermínio Bello de Carvalho, tem um verso que pode perfeitamente ser aplicado à visão de mundo dos congos: a vida não é só isso que se vê, é um pouco mais.

Nesta perspectiva, a Terra, nosso planeta, é um grande saco, o fútu, em que o Ser Supremo, Kalunga, colocou todos os elementos que tornam a vida possível: alimentos, bebidas, plantas curativas, matérias-primas para se produzirem ferramentas

---

18 Nei Lopes, *Dicionário banto do Brasil*, 2003, p. 39.

para arar a terra etc. Com tudo preparado, o Ser Supremo fechou o saco com um nó bem apertado.[19] É por isso que, a partir disso, possuir fútus, sacos da existência, virou tradição entre os congos, que neles guardam desde objetos pessoais usados no cotidiano até objetos que simbolizam seus pactos e juramentos secretos. Alguns fútus passam, como heranças, por diversas gerações de uma mesma família.

Ao encarar a Terra como um fútu que proporciona aos seres a possibilidade da vida, os congos creem que é dela que emana uma força vital incomensurável, impossível de ser inteiramente apreendida pelos humanos. Assim como Kalunga fechou o saco da existência com um nó apertado, cada um que possuiu o seu fútu, particular ou familiar, deve zelar por ele como um pequeno planeta privado.

Kalunga, o Ser Supremo, fez, faz e fará as coisas acontecerem ontem, hoje e, acima de tudo, amanhã. Não há ciência capaz de explicá-lo, porque todos os saberes nasceram depois que o mooyo (a Força Vital em si mesma) já existia na Terra, no *fútu diakanga Kalunga*, "no saco preparado e fechado por Kalunga".[20]

O mooyo é a força vital inexprimível e o elemento propiciador do *kibântu*, modo de vida banto. É ele que dota todas as coisas da possibilidade de vida e está presente em todos os elementos: plantas, pedras, folhas, areias, águas, fumaças, frutas, pássaros, cobras, chuvas, cascas de árvores, suas floradas

---

19 Nei Lopes e Luiz Antonio Simas, *Filosofias africanas*, 2020.

20 Kimnwandènde K.B Fu-kiau, *Self-healing Power and Therapy*, 1991, pp. 111-115.

nas bordas do amanhecer, a luz do sol e o cintilar de todas as estrelas. O ser humano pode fortalecer o seu mooyo buscando a conexão com o mooyo desses diversos elementos, que desta forma serão para nós como medicamentos capazes de produzir a cura do ser. Se cada um de nós é um corpo que pode possuir o seu fútu, o planeta é o maior deles. Neste sentido, estragar o solo, poluir o rio, derrubar a floresta, é esvaziar a existência e dispersar a energia vital.

É decisiva, na percepção do que seriam a vida e a espiritualidade para os congos, a ideia de que todos os povos têm o seu mooyo, que pode ser constantemente renovado, acrescentado, alimentado, inclusive pela disponibilidade de incorporar símbolos, ritos, crenças, divindades, de outros povos. Ao se abrir para experimentar o mooyo de outras comunidades, podemos alimentar, renovar e recriar o nosso próprio mooyo. Quando escolhemos esse caminho, não abrimos mão de nossas crenças originais, mas sabemos perceber que outras crenças também podem ser fontes de saúde, estabilidade, harmonia e prosperidade.

Como afirma Fu-Kiau, todas as experiências são bem-vindas e somente quando produzem efeitos contrários ao da plenitude da vida é que devemos evitá-las.[21] Deixar-se afetar pelo outro – e permitir que ele se afete também neste processo – é estar disponível para renovar, recriar, inventar o tempo todo – e a todo tempo – a vida.

Se a força vital é um valor supremo, diversas forças, que os congos definem como impessoais – os vegetais, minerais,

---

21 *Ibidem.*

animais – podem fortalecer os humanos e dotá-los de vitalidade. O ser nunca é estático, mas constituído permanentemente de força, que por sua vez está conectada, como dádiva concedida, ao Ser Supremo, que a distribui aos ancestrais, aos antepassados, aos espíritos da natureza e a cada um de nós. Essas forças vão interagindo umas com as outras.

A força vital, sempre em constante movimento, pode se fortalecer ou diminuir, dependendo das maneiras como se estabelecem as interações entre o mundo visível e o invisível (e essas interações sempre se expressam em rituais). Um antepassado da família – parente próximo – pode se utilizar do corpo de um descendente para eventualmente reclamar a maior necessidade da interação entre as pessoas e as forças propiciadoras de vida.

Os congos creem que a alma dos mortos atravessa uma massa de água para se encontrar com seus antepassados em outra dimensão. Elas, todavia, fazem isso sem abandonar inteiramente o mundo dos vivos, afinal o que pode aniquilar o ser não é a morte – ela apenas enfraquece a força vital –, mas sim o esquecimento. Celebrar os mortos, por isso, é renovar as forças vitais daqueles que se foram para que, desta maneira, eles retribuam isso auxiliando os vivos.

Quando tomam os corpos de alguns vivos para presentificar na matéria essa interação, os que já se foram procuram os corpos daqueles que são os mediadores entre o mundo visível e o invisível. É neste sentido que, para os congos, os mortos e os vivos fazem parte de uma só comunidade, com obrigações recíprocas.

Para isso, é fundamental a presença, nas comunidades, dos líderes espirituais: são eles que, uma vez iniciados, passam a conhecer e dominar as tecnologias de encantamento do mundo, para que elas estejam conectadas em nosso favor e benefício. A algumas pessoas é dado o poder de acariciar, cantar e despertar a beleza da cura que mora na dureza das pedras e na floração das folhas, além de dispor seus corpos para que os que cruzaram o mar da morte eventualmente passeiem na terra dos vivos.

A magia para os congos, quando bem utilizada, fortalece o corpo, alimenta o espírito e proporciona equilíbrio para a vida e para a comunidade. Quando não é bem utilizada, ou quando é evocada para destruir, é capaz de dispersar o mooyo de toda uma coletividade, que perderá a conexão com o Ser Supremo e se esquecerá da dimensão da vida como plenitude de alegria, satisfação e cura.

A disponibilidade dos congos para compreender a espiritualidade, e a própria vida, como um contínuo exercício de renovação do mooyo, aponta para a construção de sistemas religiosos dinâmicos, nunca estáticos, sempre dispostos a incorporar novas forças, novas divindades, tecnologias diversas de cura do corpo, do espírito e do mundo, em conexão com o imponderável da criação.

Não é contraditório para os congos, por exemplo, lidar com ritos, devoções, festas, imagens do cristianismo e, ao invés de repudiá-los, encantá-los a partir de suas próprias percepções, cosmologias e ontologias. A mesma coisa vale para as manifestações de espiritualidades das populações originais da América com quem os congos travaram contato em virtude da diáspora que o crime da escravização gerou. As forças vitais podem ser, portanto, acumuladas, incorporadas, amalgamadas, aglutinadas à comunidade, mesmo que a *priori* não estejam dentro delas.

Os diversos processos que descrevem os calundus coloniais, neste sentido, parecem expressar, nas entrelinhas de suas práticas, um fundamento das percepções de mundo dos congos que se apresenta, em menor ou maior escala, em praticamente todos os diversos povos bantos: a dimensão dos ritos – embalados por tambores, cantos, transes, invocações de espíritos – como caminhos para a restauração da cura, vista como o estado de equilíbrio e harmonia entre o visível e o invisível.

Além disso, os calundus ressaltam que os bantos conseguiram reatualizar suas tradições religiosas na diáspora, em um processo que tanto abrigou a permanência de princípios gerais do culto africano, como acomodou aspectos da cosmologia cristã redefinida por uma estrutura básica recorrente.[22]

Os calundus coloniais – como o de Luzia Pinta, como o de Branca, escravizada baiana que protegia o corpo e o rosto com mpemba, um pó feito de barro branco, e tantos outros que certamente ocorreram nas franjas e frestas do colonialismo – continuam vivos em diversas umbandas.

---

22 Robert Daibert, "A religião dos bantos: novas leituras sobre o calundu no Brasil colonial", 2015.

2. BOLSAS DE MANDINGA, PATUÁS, CORPOS FECHADOS

As bolsas dos mandingueiros

DENTRE OS ELEMENTOS vinculados às tecnologias de cura no Brasil colonial, alguns dos mais famosos foram os amuletos produzidos inicialmente pelos mandingas, africanos islamizados originários do reino do Mali, que viveu o seu apogeu por volta do século XIII, quando dominou uma extensa área subsaariana entre o vale do rio Níger e o Senegal. Conhecidos também como malinkes, no Brasil colonial os mandingas foram chamados de malês (termo oriundo da língua fon que aqui virou um arco para definir os escravizados islamizados de diversas nações, como os hauçás), e suas culturas influenciaram e foram influenciadas pelos povos e por circunstâncias diversas da vida na colônia.

Às bolsas de mandinga – como esses amuletos foram chamados por aqui – eram atribuídas propriedades terapêuticas capazes de fechar os corpos aos malefícios não apenas físicos, mas também espirituais. Referências encontradas em documentos do Santo Ofício da Inquisição dão pistas para que percebamos como as bolsas foram se transformando no Brasil a partir de um intenso contato entre as tradições sincréticas afro-islâmicas-fetichistas, as práticas espirituais dos bantos oriundos da costa do Congo-Angola, as diversas ritualísticas de cura da América indígena, e a tradição de objetos da boa sorte ligada ao cristianismo popular europeu.

Dessas circularidades que marcaram as recriações incessantes das culturas negras na diáspora, e em que se inserem as bolsas de mandinga, é que surgirão os patuás. Ao dissertar sobre a origem do termo, a professora Vanicléia Santos afirma:

> A maioria das culturas no mundo possui algum tipo de amuleto para proteger o corpo contra efeitos negativos vindos de pessoas ou seres invisíveis. Nesse caso, a busca de uma possível origem do amuleto não tem sentido. De todo modo, é possível levantar origem acerca do uso dessas palavras no Brasil. "Patuá" tem origem tupi, segundo Antenor Nascentes. Esta palavra significa cesta, baú, na qual se colocavam ingredientes protetivos. Há um debate entre os linguistas se esta palavra seria parte dos tupinismos ou africanismos na língua portuguesa do Brasil. Mas, desde o século XVIII, era usada para referir-se aos amuletos usados pelos africanos. Segundo o *Vocabulário Português e Latino* (1728), organizado pelo padre Raphael Bluteau, a palavra amuleto, no início do século XVIII, tem o mesmo sentido, tanto em sua origem grega quanto latina. Na primeira, vem

> de atadura, porque se usava o amuleto atado ao corpo para expelir coisas ruins. Do latim, tinha o significado de livrar de perigos ou proteger de quebrantos.[23]

Segundo Daniela Buono Calainho, que produziu um excepcional estudo sobre o tema, as bolsas de mandinga adquiriam força com os diversos rituais realizados depois de suas confecções.[24] As mandingas (forma como os objetos mágicos colocados dentro das bolsas eram designados) eram cozidas dentro das bolsas e defumadas com incensos e ervas. Depois de costuradas, costumavam ser ainda benzidas e deixadas por alguns dias, para adquirir poder, enterradas em encruzilhadas ou escondidas debaixo de pedras de aras de altares (mármore com que são feitas as bancadas das igrejas), para que em cima delas fossem rezadas ao menos três missas.

Os processos do Santo Ofício indicam que, dentro das bolsas de mandinga, geralmente feitas de panos brancos, encontravam-se cacos de pedra de ara, pedra de corisco, olho de gato, enxofre, pólvora, balas de chumbo, vinténs de prata, pedaços de ossos de defuntos, tiras de papéis com letras escritas com sangue de galos brancos ou pretos ou com o sangue do próprio portador da bolsa. Em diversas delas, havia escrita a oração de São Marcos.[25]

---

23 Vanicléia Santos [entrevista de Maryanna Nascimento], "Vanicléia Santos: 'O patuá nasce de recriações da cultura negra na diáspora", *Correio*, s./d.

24 Daniela Buono Calainho, *Metrópole das mandingas*, 2000.

25 Ronaldo Vainfas e Juliana B. Souza, *Brasil de todos os santos*, 2000.

Ao falar de crioulidade atlântica, Ira Berlin[26] se refere aos africanos e afrodescendentes que, jogados no sistema atlântico, incorporam códigos culturais de ambas as margens da diáspora, transformando-se em reinventores culturais incessantes. As maneiras como as bolsas de mandinga vão se conformando aos fluxos culturais brasileiros – em uma espécie de macumbização dos amuletos islâmicos em objetos polifônicos – são exemplares deste processo.

A blindagem dos corpos

As feituras de bolsas de mandinga estão inseridas no amplo complexo de tecnologias de cura que visam ao fechamento dos corpos. Na cultura popular, ritos de fechamento do corpo buscam garantir a proteção contra malefícios de ordem física ou espiritual, podem ser feitos de diversas maneiras e com múltiplos sentidos, envolvendo desde orações até práticas de ordem material, como é o caso das mujingas, rituais praticados em terreiros de algumas linhas de umbanda em que se limpa o corpo da pessoa com algum animal, plantas ou comidas, para espantar a má sorte e fechar o corpo às influências negativas que podem enfraquecê-lo.

É comum que ritos de fechamento dos corpos sejam acompanhados de orações a santos populares, como São Jorge, São Cipriano e São Pedro, que assim protegerão a pessoa contra

---

26 Ira Berlin *apud* Roquinaldo Ferreira, 2006.

balas, facadas, acidentes em geral, mau olhado e toda a sorte de feitiços. Já no século XX, entre os cangaceiros do bando de Lampião, por exemplo, o fechamento dos corpos estava ligado não são só à prática das orações, mas também ao uso de amuletos.

Impressiona como os cangaceiros, sobretudo após o momento em que mulheres passaram a ser aceitas no bando, começaram a usar roupas coloridas, cobriam-se de adornos de ouro e prata e objetos como moedas e botões multicores. Tal fato desmente o senso comum de que os cangaceiros usavam roupas neutras, como estratégia de camuflagem diante das perseguições policiais.

Para o historiador Frederico Pernambucano de Mello, especialista na história do cangaço, os cangaceiros não temiam utilizar roupas chamativas, que os tornavam alvos mais fáceis, porque acreditavam que seus corpos estivessem fechados por rezas, pela utilização de amuletos diversos, escapulários e por ícones bordados em roupas e chapéus como a cruz dos Cavaleiros de Malta, a flor-de-lis, utilizada nos emblemas da realeza francesa, e o Cinco Salomão, uma estrela representada por dois triângulos entrelaçados com poderes místicos ligados à proteção.

Já em alguns ramos do candomblé, o fechamento dos corpos contra malefícios está vinculado aos rituais da Kura. Por kuras, entendemos algumas incisões feitas em determinados pontos do corpo (a cabeça, os braços, o tórax, as pernas, a língua), que serão cobertas com um pó com atribuições curativas e fortalecedoras chamado de atim e preparado a partir de diversas substâncias como, por exemplo, o efum mineral (retirado de calcários) e o efum vegetal (retirado de frutos como a noz-de-cola e folhas). O corpo sacralizado pelas cicatrizes estará, desta forma, blindado contra os azares. É como se o corpo, em suma, fosse uma casamata encantada à prova de ataques diversos, materiais e espirituais.

Outro objeto que tem relação com os ritos afro-brasileiros e com a ideia da guarnição do corpo é o item de blindagem conhecido como contra egum, amuleto feito com a palha da costa trançada que tem a função de proteger a pessoa da influência de mortos que possam abalar a saúde espiritual dos vivos, com repercussões inclusive na saúde física. Em geral, o contra egum é amarrado nos braços das yaôs recém-iniciadas no culto, que se encontram ainda bastante sujeitas à influência de uma série de espiritualidades capazes de causar desassossego.

A própria confecção do contra egum já obedece a um ritual complexo, com ofós (palavras de encantamento) de consagração, banhos de folhas que darão ao objeto o poder de imunizar quem os utiliza contra espíritos desencarnados e rezas específicas para que os contra eguns sejam colocados e retirados. É bastante comum que iniciados no candomblé usem o contra egum quando têm que frequentar algum local que atraia espíritos diversos, como hospitais e cemitérios.

É frequente ainda que os recém-iniciados no culto aos orixás usem um fio de palha trançada nas pernas com um guizo preso, chamado xaorô. Pertencente ao orixá Obaluaiê, Senhor das doenças e das curas, o xaorô evoca a proteção de Obaluaiê contra as espiritualidades do adoecimento. Há ainda um mito que vincula o uso do xaorô ao poder que o guizo tem de indicar por onde anda a noviça recém-iniciada.

Neste caso, o que se conta é que Obaluaiê andava coberto com palha da costa, para não mostrar as feridas que marcavam a sua pele, em virtude da varíola. Mesmo coberto com a palha da costa, Obaluaiê continuava preferindo a solidão, andando por caminhos distantes. Iemanjá, mãe de criação de Obaluaiê, pediu que Ogum fizesse na forja um cilindro de cobre que seria amarrado no tornozelo de Obaluaiê. Desta forma, por mais escondido que ele estivesse, Iemanjá seria capaz, pelo barulho do xaorô, de encontrá-lo. Do mesmo modo, simbolicamente o xaorô marca a ideia de que a yalorixá, mãe de santo, sempre saberá por onde anda a yaô que ela iniciou.

3. PAJELANÇAS, FUMAÇAS E ENCANTOS

A pajelança marajoara

CONTAM NA AMAZÔNIA Marajoara que no início só existia a água. O mundo era isso: uma grande bola de água inabitada, cujo fundo jamais poderia ser tocado, sob pena de desarmonizar tudo. Um dia, um ser transparente chamado Auí recebeu a incumbência de criar e liderar um povo.

Na profundeza das águas, só havia barro e lama, até que apareceu o Girador. Ele também tinha uma missão: construir sete cidades sobre as águas para que o povo de Auí vivesse. O Girador fez o seu trabalho, enquanto o povo de Auí saía das águas para habitar as sete cidades.

Um dia Auí, extremamente curioso, tocou o fundo das águas do mundo, coisa que era terminantemente proibida. Ao encostar no barro e na lama, Auí gerou a desarmonia e o desequilíbrio na Terra. Imediatamente, o Girador e o povo de Auí foram transformados em Caruanas e foram morar no fundo das águas, no Encante.

Por causa da desordem de Auí, as águas subiram e causaram dois acontecimentos: o primeiro foi de libertar a energia espiritual de Anhanga, causadora de males diversos à natureza. A segunda consequência foi a subida das partes sólidas do fundo, criando os continentes atuais.

Das sete cidades criadas pelo Girador, seis sucumbiram às águas. Elas formam o mundo místico dos Caruanas, o Patu-Anu. De lá, os Caruanas auxiliam os seres humanos e se preparam para encarnar nos corpos dos pajés. Para que prevaleça a harmonia entre Patu-Anu e a Terra, um gavião de olhos brilhantes e bico de marfim comanda de forma rigorosa a entrada e a saída dos Caruanas em nosso mundo. Um peixe de sete asas é o mensageiro que permite a troca de energias entre o pajé e as águas místicas do "Patu-Anu".

Das sete cidades criadas pelo Girador, uma continua entre nós: a Ilha de Marajó, local de grande concentração da energia dos Caruanas e base da chamada "pajelança cabocla", um conjunto de ritos e tecnologias de curas fundamentadas nos encontros encruzilhados entre elementos místicos dos saberes populares da região amazônica.

O pajé é um xamã. A expressão tem provável origem em *saman* (língua tungue, do norte da Ásia) ou *sramarana* (sânscrito), que designa um homem inspirado por espíritos. Os ritos xamânicos fundamentam-se no poder terapêutico das plantas, no transe, na existência de mundos paralelos ao mundo visível e na crença de que todas as coisas são dotadas de energias vitais. O xamã é um interlocutor, um mediador entre o mundo material e os outros mundos espirituais.

Como xamã, o pajé é um curador que trabalha auxiliado pelos encantados. Esses encantados se dividem em três tipos:

- Bichos do fundo: habitantes de rios e igarapés, como cobras, botos, jacarés e peixes;
- Oiaras: encantados que assumem formas humanas;
- Seres invisíveis ou cavalheiros: espíritos que incorporam nos pajés, como os Caruanas das águas profundas.

Em geral, na pajelança se dividem os pajés entre os "de nascença" e os "de agrado". O "pajé de agrado" é aquele que, manifestando o poder da cura logo depois da infância, é iniciado por um pajé mais velho. Mais poderosos que eles são os "de nascença", aqueles que têm o poder anunciado por sinais durante a gravidez da mãe.

Em certo momento da vida, a ocorrência de eventos como a possessão por espíritos, doenças, ou perturbações mais genéricas mostrará que é a hora da iniciação do futuro pajé. Ele será encruzado, expressão que designa os ritos que, simbolicamente, matarão a pessoa para que ela possa reviver como um curador protegido pelos Caruanas e apto a incorporá-los.

Alguns pajés de nascença podem chegar ao mais alto grau da pajelança, se transformando em *sacacas*. Os ritos de iniciação de um sacaca acontecem no fundo das águas do Patu-Anu, no encante. A água adquire a dimensão de guardadora do mistério. O futuro pajé é jogado no rio, onde vai desaparecer durante um longo tempo. Neste período, ele está sendo consagrado e ensinado pelos próprios Caruanas.

Os pajés, nos seus ritos de cura, podem ainda ser auxiliados por curandeiros, aqueles que conhecem as plantas, as garrafadas curativas, o poder das rezas e defumações. Os curandeiros, entretanto, não são diretamente possuídos pelos encantados; não vivem a experiência do êxtase e do transe, reservada apenas aos pajés.

O mito das águas místicas dos Caruanas e os ritos da pajelança cabocla apontam para a rigorosa harmonia que deve existir entre seres humanos, elementos da natureza e seres encantados. Só essa harmonia é capaz de curar o mundo. Não há cura possível se um desses três elementos – humanos, natureza e encantados – adoecer. Toda cura é, fundamentalmente, uma tarefa coletiva.

Os mestres do catimbó

Outra vertente fortemente marcada pela tradição xamânica das pajelanças é a do catimbó, um conjunto de práticas rituais abrangendo atividades místicas que envolvem também elementos do cristianismo popular. Com origem no Nordeste brasileiro, o catimbó tem como fundamentos mais gerais a crença no poder da bebida sagrada da jurema e no transe de possessão, em que os mestres vêm dos reinos imateriais do Juremá para trabalhar tomando o corpo dos catimbozeiros.

As versões mais difundidas sobre a origem de seu nome evocam desde o tupi antigo (*caa* = floresta + *timbó* = torpor causado por fumaça), até variações da palavra "cachimbo", apetrecho muito usado pelos catimbozeiros. Há quem busque a origem, também bebendo na fonte das línguas indígenas, na junção dos termos *cat* (fogo) e *imbó* (árvore, mato).

Se a jurema é a bebida tirada da árvore do mesmo nome – bastante utilizada nos ritos de pajelança dos tapuias e com registros que remontam aos primórdios da colonização brasileira –, o juremá é o espaço invisível em que habitam os mestres da jurema e seus subordinados. Há, dependendo da linha do catimbó, quem trabalhe com cinco ou sete reinos, formados por aldeias ou cidades e habitados pelos Mestres. Para a linha de cinco, os reinos são os do Vajucá, Urubá, Josafá, Juremal e Tenemé (ou Tenema). Para a linha de sete, temos os reinos de Vajucá, Juremal, Urubá, Tigre, Canindé, Josafá e Fundo do Mar.

Ao trabalhar nas linhas de cura, os mestres do catimbó são auxiliados pelos caboclos da jurema, espíritos ancestrais de indígenas que, após a morte, foram enviados ao mundo encantado para difundir os seus conhecimentos e tecnologias de cura. A invocação aos caboclos, em geral no início das sessões, garantirá que eles emanem do juremá seus conhecimentos diversos de banhos e rezas que despertam o poder da medicina das plantas.

As famílias encantadas

A noção de caboclo para o catimbó não é a mesma para o tambor de mina praticado no Maranhão e no Pará, com ramificações no Piauí e no Amazonas. Na encantaria do tambor, o caboclo não é necessariamente um indígena e o termo pode ser utilizado para designar entidades de variadas origens. A caboclização é, basicamente, o encantamento.

Os encantados não são espíritos desencarnados; eles são seres (mulheres, homens, crianças, bichos...) que não morreram fisicamente; sofreram antes a experiência do encantamento, caboclearam-se. Conforme definiu o sacerdote Pai Francelino de Shapanan:

> Para o povo do tambor-de-mina, o encantado não é o espírito de um humano que morreu, que perdeu seu corpo físico, não sendo, por conseguinte um egum. Ele se transformou, tomou outra feição, nova maneira de ser. Encantou-se, tomou nova forma de vida, numa planta, num acidente físico-geográfico, num peixe, num animal, virou vento, fumaça. Ele encantou-se e permaneceu com a mesma idade cronológica que tinha quando esse fato se deu.[27]

Os caboclos, ou encantados, se reúnem em famílias, com um chefe e suas linhagens, que abrangem turcos, índios, reis, nobres, marujos, princesas etc. Seguem abaixo algumas delas:[28]

> FAMÍLIA DO LENÇOL: A família mais famosa de encantados. No fundo do mar da praia dos Lençóis — em Curupupu – mora o Rei Dom Sebastião, que se encantou durante a batalha de Alcácer-Quibir. Essa família é formada

27 Reginaldo Prandi (org.), *Encantaria brasileira*, 2001, pp. 319-320.
28 Luiz Antonio Simas, *Pedrinhas miudinhas*, 2013, p. 45.

apenas por reis e fidalgos. A vinda do Rei Dom Sebastião ao corpo de alguém é muito rara, alguns afirmam que ocorre de sete em sete anos. Da família fazem parte ainda, dentre outros, Dom Luís, o Rei de França; Dom Manoel, conhecido como o Rei dos Mestres; a Rainha Bárbara Soeira; Dom Carlos, filho de Dom Luís, e o Barão de Guaré. Em alguns ramos da encantaria fala-se na FAMÍLIA DA GAMA, que também seria formada por reis, rainhas e fidalgos.

FAMÍLIA DA TURQUIA: É chefiada por um rei mouro, Dom João de Barabaia, que lutou contra os cristãos. É a esta família que pertencem as irmãs Mariana, Jarina e Herondina, as princesas que vêm ao mundo não apenas na forma de turcas, mas também como marinheiras, ciganas, índias ou aves de belas plumagens. Em algumas casas, a Família da Turquia é incorporada à Família do Lençol.

FAMÍLIA DA BAHIA: Família de encantados farristas, que gostam de beber, têm a sexualidade aflorada e vivem arrebatados em mundanidades, como em esquinas, bares, rodas de samba e capoeiras.

FAMÍLIA SURRUPIRA: Família composta por indígenas que não foram catequizados; versados nos segredos da pajelança. Trabalham com as artes da cura e são profundos conhecedores da medicina das plantas.

FAMÍLIA DA MATA: Também conhecida como "família de Codó", é formada por vaqueiros, boiadeiros, índios e negros que saíram do litoral maranhense e se caboclizaram nas matas próximas à cidade de Codó.

FAMÍLIA DA BANDEIRA: Formada por desbravadores das matas, caçadores de onça, mateiros e pescadores que se encantaram durante suas atividades.

Aqui confesso meu especial apreço pela cabocla Mariana; ela é encantada e encantadora; uma turca que passou pelo arrebatamento ao chegar ao Brasil, com suas irmãs Rondina e Jarina e seu pai, Dom João de Barabaia. Desde então, cruza caboclamente as nossas terras, se apresentando como índia, cigana, marinheira e arara de belíssima plumagem voadeira. Entre o humano e a natureza, afinal, ensina a encantaria que há imbricamento, e não dicotomia.

Mais do que fenômeno restrito ao campo religioso, a encantaria é um campo fecundo para se pensar as artes da alteridade, do trânsito pelo transe, da necessidade de se relacionar com o outro, da aventura de pensar as linguagens do corpo como campo de possibilidades plurais para experiências de liberdade.

A encantaria traz o cruzamento entre as diferenças que se encontram no arrebatamento. O encantado é um encorpado que já nem corpo é e, ao mesmo tempo, só o corpo tem. É aquele que se colocou disponível para mudar, alterar o corpo, transformar a experiência, atravessar e enxergar de outras formas a vida como caminho de negação da mortandade e afirmação da beleza do ser para a liberdade como ato fundante do existir.

4. ÁGUAS DE OXALÁ, BANHOS DE OSSAIN

Oxalá, o banho e a roupa branca

CONTA IFÁ QUE um dia Oxalá resolveu visitar Xangô no reino de Oyó. Para isso, consultou Orunmilá, o sábio, que através do oráculo de Ifá desaconselhou a viagem, sob pena de ele poder ser vítima das estripulias de Exu. Oxalá, entretanto, não desistiu. Orunmilá aconselhou Oxalá, irredutível na decisão de visitar Xangô, a levar então três mudas de roupa branca e sabão da costa. Aconselhou ainda que Oxalá não reclamasse de nada que fosse lhe ocorrer.

No caminho, Oxalá encontrou Exu, disfarçado como um vendedor de dendê. Exu pediu auxílio para carregar um tonel de dendê e Oxalá assim fez. Exu derramou todo o dendê em cima de Oxalá e saiu correndo. A Oxalá restou tomar um banho de rio e mudar de roupa.

Exu repetiu as artimanhas, desta vez sujando Oxalá com carvão e melado. Para completar, Exu colocou no caminho de Oxalá o cavalo predileto de Xangô. Os guardas de Oyó, julgando ser o orixá um ladrão de cavalos, o espancaram e prenderam por sete anos. Durante este período, em virtude da prisão injusta de Oxalá, seca e a fome se abateram sobre o reino de Xangô.

Para descobrir o que estava acontecendo com o reino, Xangô consultou o Babalaô, que revelou a injustiça cometida como a razão para a praga que atingiu Oyó. Xangô, imediatamente, foi à prisão e descobriu Oxalá, sujo, maltrapilho e esquecido na cadeia. Para reparar a injustiça, Xangô chegou a oferecer toda a riqueza de Oyó a Oxalá, que entretanto pediu apenas um banho com água pura e uma muda de roupa branca. O rei de Oyó determinou então que todos os seus súditos se vestissem de branco e banhassem Oxalá. Ainda determinou que Airá, um serviçal do reino, levasse Oxalá nas costas no caminho de volta.

O mito descrito acima é ritualizado em uma das cerimônias mais importantes dos candomblés brasileiros, a das Águas de Oxalá. Com pequenas variações entre os terreiros, o rito reproduz a prisão injusta de Oxalá, o cortejo de todos os membros do terreiro, em silêncio absoluto, com potes e moringas cheias de água para banhar os assentamentos de Oxalá, a libertação do orixá e a volta ao seu reino de origem.

Ao longo do ciclo das águas, são realizadas festas para Oduduwá, Oxalufan (o Oxalá velho, reverenciado em uma procissão em que todos se colocam debaixo do alá funfum – o pano branco) e Oxaguian (o Oxalá novo, reverenciado com a festa da renovação da fartura da terra, marcada pela cerimônia dos inhames pilados).

Os filhos de Oxalá devem evitar o dendê e o carvão, elementos que atraem energias negativas e dispersam o axé – a energia – do Orixá. As bebidas destiladas também devem ser evitadas, em virtude de um mito em que, ao embriagar-se com vinho de palma, Oxalá adormeceu e não cumpriu a missão de criar a Terra, dada a ele por Olodumare, o deus maior.

Nos ritos dedicados ao orixá, os tambores costumam tocar um toque chamado Igbin (caramujo). O ritmo lento e contínuo do Igbin representa a lentidão perseverante e firme de Oxalufan, o oxalá mais velho, que se apoia no seu bastão sagrado (chamado Opaxorô) para ancorar, como caracol que carrega a própria casa, a vastidão da grande casa do mundo.

O ebô e as bolas de cará

A ritualização da alimentação é uma característica marcante das religiões afro-brasileiras. Ao se ofertar um alimento para um orixá, os fiéis fazem a doação em busca de uma restituição daquele alimento como elemento que fortalecerá a força vital do indivíduo – o axé – e do grupo.

Para Oxalá, oferecem-se alimentos como o ebô, a canjica de milho branco (àgbàdo funfum), preparada apenas em água e, uma vez pronta, servida em um prato branco, coberta com algodão. Em alguns casos, o ebô pode ser temperado com mel de abelhas.[29]

---

29 Não confundir *ebô*, a canjica, com *ebó*, palavra que abrange formas diversas de oferendas que buscam trazer o equilíbrio espiritual e o axé para aqueles que as realizam.

Outro prato bastante apreciado pelo orixá é o purê de inhame-cará. Depois de cozinhado o inhame, ele é pilado para se fazer um purê, que deve ser enrolado com as mãos, na forma de bolos pequenos e médios, e oferecido, em um prato branco, a Oxalá.

Ossain e o banho que acalma e cura

Os orixás são deuses que estão presentes nos elementos da natureza: eles moram no fogo, nos rios, nos mares, nas árvores, nas montanhas. Ossain é um orixá das florestas densas que recebeu de Olodumare, o criador, o poder para conhecer todos os vegetais, seus poderes curativos e venenos.

Um dia Ossain, com um pássaro no ombro e sempre acompanhado por Arôni, seu ajudante, juntou as folhas mais importantes da floresta e as guardou numa grande cabaça. Feito isso, pendurou a cabaça no galho de uma árvore. Tal fato despertou a curiosidade de outros orixás, que queriam saber o que Ossain guardava com tanto mistério. Mas Ossain não revelava o segredo a ninguém.

Para resolver o mistério de Ossain, Iansã, a senhora dos ventos, teve uma ideia, estimulada por Xangô, interessado também no segredo do orixá das florestas. Para saber o que Ossain guardava, Iansã dançou chamando o vento, que derrubou o galho da árvore, quebrando a cabaça de Ossain e espalhando as folhas sagradas pela floresta.

Quando isso aconteceu, os orixás passaram a pegar determinadas plantas e folhas e a considerá-las como suas. Desta forma, aumentariam os seus poderes.

Exu, chegando à frente, pegou o abéré, que no Brasil é conhecido como picão, e a ewé lará, a folha da mamona. Como Exu é o primeiro que come, e a folha da mamona tem a função de ser o prato onde se colocam as comidas para os orixás, Exu achou normal que ela fosse dele.

Ogum pegou o ewé-lorogún (abre-caminho) e o peregun (pau-d'água). Oxóssi disse logo que o koriko-oba (capim--limão) e o kaneri (carqueja) seriam dele. Omolu escolheu o àpèjebi, que por aqui chamamos de rabujo. Com essa folha, ele cura a asma e as picadas de cobra. Aproveitou ainda para pegar o ewé buje, a alamanda, capaz de curar feridas.

Oxumarê não perdeu tempo e pegou a alcaparreira, com seus galhos curvilíneos que mais parecem fazer o movimento das serpentes. Xangô não teve dúvidas: pegou logo o ipesãn, a carrapeteira, que é a folha do trovão, capaz de despertar quem anda adormecido na vida. Irokô disse logo: eu já sou a gameleira-branca. Não preciso de outras folhas.

Iansã pegou as folhas do agbolá (fedegoso) e correu logo atrás de ewé pakó, a folha do bambuzal que mais parece uma espada fina ou um raio. Oxum, a senhora dos rios e do amor, preferiu pegar o ododo iyéiyé, que no Brasil é mais conhecida como a flor do girassol. Como protege as crianças, Oxum pegou também, acompanhada dos Ibejis, o semim-semim – a vassourinha-doce – e o àrusò, a nossa alfazema, que cura a febre dos bebês. Para se prevenir de inimigos, Oxum colheu a erva-capitão e a chamou de ewé ábébé, já que seu formato parece muito com os leques que ela e Iemanjá gostam tanto de usar.

Por falar em Iemanjá, com toda a tranquilidade ela pegou a pata-de-vaca branca, abafé, que tem o formato de um útero maternal. Todos os orixás cantaram na mesma hora: *Awá Jé Omom, awá jé omom, Iyá Kekerê*. Nós somos seus filhos, nós somos seus filhos, mãezinha! A folha de Iemanjá é capaz de ajudar no tratamento da anemia, da hipertensão, e amansa a dor de quem tem cálculo nos rins.

Ewá pegou a folha da boa-noite – ewé ékelèyi – encantada com a haste longa que lembra uma cobra bonita e com o poder que ela tem de facilitar a cicatrização das feridas. Obá se apaixonou pelos frutos vermelhos, como ela, da negramina, e guardou a folha capaz de curar dores e inchaços. Quando viu a folha da quaresmeira-roxa, enrugada como uma sábia anciã, Nanã não teve dúvidas: é minha!

Oxalá, respeitado por todos, escolheu pegar primeiro o odundum (saião) e depois o jimi (língua-de-vaca), capaz de curar problemas de pele, se preparado como chá. Não parou por aí e logo pegou o teteregun, a cana-do-brejo, folha fundamental nos ritos de iniciação, já que representa a morte do corpo profano e seu renascimento para o orixá. O teteregun ainda é bom contra a hipertensão e o diabetes.

Desta maneira cada orixá escolheu as suas plantas, folhas e flores, várias nativas da África, várias nativas do Brasil.

Havia, porém, um problema. A folha, para se transformar em remédio, tem que ser seduzida pelo ofó (a palavra mágica) e pelo canto. As folhas gostam que cantemos para elas. Só quando cantamos é que somos capazes de dotar as folhas, plantas e flores do poder de curar e alegrar a vida.

Os orixás, então, mesmo tendo recolhido as folhas que o vento de Iansã distribuiu, precisavam ainda de Ossain, porque só a ele Olodumare dera o conhecimento dos cantos capazes de dotar as folhas do poder. É essa a função de Ossain desde então: acordar as folhas com o canto certo, para que elas possam encantar a nossa vida.

Sem a natureza, as crianças, as mulheres e os homens não poderão viver. Sem as folhas das matas e florestas, não existe cura para as doenças do corpo e as tristezas da alma. Sem o canto, as folhas não se encantam e não nos ajudam.

Desde o dia em que aconteceu essa história, Ossain assovia uma linda canção e brada na floresta para que a humanidade nunca se esqueça: Kosi Ewé, Kosi Òrisà. Sem a folha não existe orixá.

A partir do mito de Ossain acima descrito, realiza-se o ritual, um dos mais importantes dos terreiros, de preparação do banho de Omi Eró (a água da tranquilidade). O banho é feito a partir da maceração das ervas com propriedades curativas, misturadas a outros ingredientes. Enquanto são quinadas as folhas, os iniciados cantam as sassanhas – cantos de encantamento das folhas, que despertam as propriedades sanativas das ervas.

Despertadas as folhas pelo encantamento do canto e pelo poder das mãos que maceram as plantas, preparado o banho, com ele podem ser lavados os otás – pedras consagradas aos orixás –, os fios de conta (ilekês), e os búzios. O rito que marca o início de um processo iniciático no candomblé, inclusive, é o da lavagem das contas, em que a yalorixá lava nas águas do banho de Ossain os fios de conta que a noviça (a abian) passará a usar, como proteção e marco da ligação com o orixá que a protege.

O banho ainda pode ser utilizado para lavar cabeças e corpos e ser bebido como remédio, em virtude das propriedades fitoterápicas que possui. Nas casas mais tradicionais, o Omi Eró é feito com o uso de 16 a 21 folhas diferentes.

5. MACUMBAS DE PELINTRAS E PADILHAS

Macumbando o carnaval

CARNAVAL DE 2013. A Portela se prepara para entrar na avenida. O enredo conta a história do bairro de Madureira. A bateria vem de Zé Pelintra, o malandro seminal. A rainha dos ritmistas, Patrícia Nery, vem de Maria Padilha. As fantasias fazem referência ao Mercadão de Madureira e suas inúmeras lojas de artigos religiosos ligados ao candomblé e à umbanda.

Desde o ensaio geral da escola, em virtude de alguns recados mandados pelo próprio malandro e pela Padilha, a bateria sabia que deveria pedir licença a Seu Zé antes de iniciar o desfile. Acontece, então, o momento único: as caixas, os repiques, tamborins, surdos e agogôs param de tocar, os atabaques começam a curimba e abre-se um corredor. A rainha de bateria/Maria Padilha inicia sua dança sensual, desprovida de pecados, sacralizando o profano e profanando o sagrado. Sem culpas. Os diretores de bateria sambam com a ginga sinuosa, sincopada, festeira e alforriada de Seu Zé.

A bateria canta, o público canta e a madrugada canta os pontos do malandro divino, o Zé das Alagoas.

Contemplado o malandro, a bateria retoma o ritmo do samba e a Portela se prepara para entrar na avenida. Gilsinho, o puxador do samba, vez por outra assombrará a Sapucaí com a gargalhada vital do Homem da Rua. Os tambores portelenses sustentarão o samba – e a bateria sairá consagrada pelo júri oficial e pelas premiações paralelas como a melhor dos desfiles. O malandro gostou da festa e bateu tambor pelas mãos e baquetas de cada um dos ritmistas.

Naquela madrugada foram cantados dois pontos de Seu Zé. O primeiro fez referência ao fato de Zé Pelintra ter sido catimbozeiro no Nordeste, antes de baixar no Rio na linha da malandragem: "Ô Zé, quando vem de Alagoas/ Toma cuidado com o balanço da canoa/ Ô Zé, faça tudo que quiser/ Só não maltrate o coração dessa mulher."

O segundo ponto foi uma curimba, das mais cantadas em gira de malandro: "Se a Rádio Patrulha chegasse aqui agora/ Seria uma grande vitória/ Ninguém poderia correr/ Agora eu quero ver/ Quem é malandro não pode correr..."

O que pouca gente sabe é que o segundo ponto de macumba que a Portela cantou – "Rádio Patrulha" – é originalmente um samba do mestre Silas de Oliveira, em parceria com Marcelino Ramos, J. Dias e Luizinho, gravado em 1956 por Heleninha Costa. Sucesso no carnaval daquele ano, o samba acabou incorporado às rodas das macumbas cariocas.

Quem são eles?

Entidade que baixa em diversos ramos e linhas das macumbas brasileiras, Zé Pelintra nos coloca desafios. Há quem afirme que, originalmente, Seu Zé é um mestre do culto do catimbó que acabou se manifestando em outras vertentes das encantarias, até chegar aos terreiros de macumba do Rio de Janeiro.

Uma das versões mais conhecidas sobre sua história diz que ele nasceu em Pernambuco, na Vila do Cabo Santo Agostinho, cresceu em Afogados da Ingazeira e posteriormente foi para o Recife, morando na Rua da Amargura, próximo à zona boêmia da cidade.[30]

Ao se apaixonar por Maria Luziara e não ser correspondido, Zé percorreu os sertões e as praias do Nordeste, para esquecer o infortúnio. Passou pela Paraíba e por Alagoas e foi iniciado nos ritos da jurema sagrada por Mestre Inácio, que por sua vez havia sido iniciado no culto pelos índios caetés. Após se encantar ou morrer (há controvérsias), Zé de Aguiar baixou um dia no juremeiro José Gomes da Silva e disse que era José Pelintra, Príncipe da Jurema e Mestre do Chapéu de Couro.

Quando baixa como entidade do catimbó nos terreiros nordestinos, Zé Pelintra é, portanto, um mestre das antigas sabedorias indígenas. Com bengala e cachimbo, usa camisa comprida branca ou quadriculada e calça branca dobrada

30 Luiz Antonio Simas, *O corpo encantado das ruas*, 2019, pp. 18-19.

nas pernas, com um lenço vermelho no pescoço. Sempre trabalha descalço.

Ao chegar ao Rio de Janeiro, trazido nos matulões da fé de inúmeros imigrantes nordestinos atraídos para a cidade que, na primeira metade do século XX, era a capital federal, Seu Zé se transformou. O mestre de jurema virou carioca e teve seu culto incorporado pela linha da malandragem nas macumbas da cidade. Há quem diga que foi morar na Lapa, farreou à vontade e morreu numa briga no Morro de Santa Teresa. Abandonou as vestes de mestre da jurema e baixa nos terreiros da Guanabara como refinado malandro, trajando terno de linho branco, sapatos de cromo, chapéu--panamá e gravata vermelha. Seu Zé se adaptou a esta nova circunstância.

Se Zé Pelintra é a figura icônica do malandro nos terreiros do Brasil, a figura feminina que ocupa um lugar de protagonismo nas rodas da malandragem e nas giras dos exus é a pombagira. Se o Zé é o catimbozeiro que se fez malandro nas curimbas cariocas, quem são as moças formosas que giram as saias para revirar o mundo? Há que se raspar o fundo do tacho para, palidamente, acariciar os saberes que podem nos levar a elas.

Do ponto de vista da etimologia, a palavra *pombagira* certamente deriva dos cultos angolo-congoleses aos inquices. Uma das manifestações do poder das ruas nas culturas centro-africanas é o inquice Bombojiro, ou Bombojira, que para diversos estudiosos dos cultos bantos é o lado feminino de Aluvaiá, Mavambo, o dono das encruzilhadas, similar ao Exu iorubá e ao vodum Elegbara, dos fons. Em quimbundo, *pambu-a-njila* é a expressão que designa o cruzamento dos caminhos, as encruzilhadas.[31]

Os cruzamentos religiosos entre as várias culturas de origens africanas, ritos ameríndios, tradições europeias, vertentes do catolicismo popular etc. dinamizaram no Brasil vasta gama de práticas religiosas fundamentadas em três aspectos básicos: a possibilidade de interação com ancestrais, encantados e espíritos através dos corpos preparados para recebê-los; um modo de relacionamento com o real fundamentado na crença em uma energia vital; e na modelação de condutas estabelecida pelo conjunto de relatos orais e na transmissão de matrizes simbólicas por palavras, transes e sinais.

A pombagira é resultado do encontro entre a força vital do poder das ruas que se cruzam e a trajetória de encantadas ou espíritos de mulheres que viveram a rua de diversas maneiras, tiveram grandes amores e expressaram a energia vital através de uma sexualidade aflorada e livre.[32]

A energia pulsante destas entidades cruzadas, como se o domínio delas já não fossem as encruzilhadas, é libertadora; jamais é descontrolada. Ela é sempre controlada pela próprio poder feminino e se manifesta em uma marcante característica da entidade: a pombagira é senhora dos desejos do próprio corpo e manifesta isso em uma expressão corporal gingada,

31 Luiz Antonio Simas e Luiz Rufino, *Fogo no mato*, 2018.
32 Luiz Antonio Simas, *O corpo encantado das ruas*, 2019.

sedutora, sincopada, desafiadora do padrão normativo. A pombagira, como diz um antigo ponto de macumba, é uma ventania que se encanta nos corpos.

De volta aos desfiles

Depois de encantar a Portela no esquenta da bateria no carnaval de 2013, em 2016, Zé Pelintra terreirizou a Marquês de Sapucaí novamente. Não precisou alterar as cores de sua vestimenta, já que a escola que o homenageou, o GRES Acadêmicos do Salgueiro, veste vermelho e branco, feito a gravata e o terno do malandro encantado. As pombagiras também tomaram conta do sambódromo.

O enredo da agremiação, "Ópera dos Malandros", partia do musical de Chico Buarque de Holanda para falar da malandragem. Neste aspecto, trazia referências quanto ao icônico Rio de Janeiro da década de 1930, território por excelência do "malandro histórico"; tanto ao "malandro divino", cujo território de atuação é o terreiro de santo.

O enredo do Salgueiro causou celeuma, confirmada pelo desfile. Na frente da escola vinha Seu Tranca Rua, exu das macumbas, com sua desconcertante multiplicidade cruzada de quem cozinha a gambá na hora que quer. Atrás dele, a turma da guma, da curimba, da raspa do tacho, da beleza desconcertante e amedrontadora da rua, dos feitiços da jurema, dos catimbós, das tabernas ibéricas e biroscas cariocas; daqueles que correram gira pelo norte.

Dias antes do desfile oficial, o Salgueiro se apresentou em um ensaio geral na avenida. A rainha de bateria, Viviane Araújo, veio representando as pombagiras em sua performance. O fato gerou enxurrada de comentários preconceituosos nas redes sociais, especialmente de pentecostais que acusaram Viviane de emprestar seu corpo ao diabo.

No dia do desfile, contrariando expectativas, a rainha da bateria não veio representando uma pombagira. Foi a vez de os adeptos das religiões afro-brasileiras acusarem o Salgueiro de ter recuado das referências às pombagiras em virtude dos ataques evangélicos.

O fato é que o malandro batuqueiro e a dama da noite incomodaram de todas as formas. Para desamarrar o nó desta polêmica, nos resta tentar responder à pergunta que o desfile salgueirense escancarou: Quem tem medo de Seu Zé Pelintra e de Dona Maria Padilha?

As reflexões que o encontro entre Seu Zé Pelintra e as pombagiras sugere, com toda a controvérsia provocada pelo desfile do Salgueiro, devem ser dimensionadas a partir de uma constatação: a exclusão social no Brasil foi um projeto de Estado. A afirmação simples apenas constata que, com momentos raros de relativização deste processo, o Brasil é um país que articulou estratégias em relação à pobreza fundadas na experiência que é o maior marco da nossa formação: a escravidão. A dominação do outro se articulava em estratégias de controle dos corpos com inúmeras variantes: o corpo amansado pela catequese, pelo trabalho bruto, pela chibata e pela confinação em espaços precários: porões de negreiros, senzalas, canaviais e cadeias.

O fim da escravidão exigiu redefinições nas estratégias de controle dos corpos e coincidiu com os projetos modernizadores que buscaram estabelecer, a partir da segunda metade do século XIX, caminhos de inserção do Brasil entre os povos ditos civilizados. Tomo o Rio de Janeiro como horizonte dessas reflexões.

Dentro dessa aventura modernizadora, a relação das elites e do poder público com os pobres era paradoxal. Os "perigosos" maculavam, do ponto de vista da ocupação e da reordenação do espaço urbano, o sonho da cidade moderna e cosmopolita. Ao mesmo tempo, falamos dos trabalhadores urbanos que sustentavam – ao realizar o trabalho braçal que as elites não cogitavam fazer – a viabilidade desse mesmo sonho: operários, empregadas domésticas, seguranças, porteiros, soldados, policiais, feirantes, jornaleiros, mecânicos, coveiros, floristas, caçadores de ratos, desentupidores de bueiros.[33]

Novas e velhas estratégias de confinamento dos corpos então se articulam, agora em favelas, subúrbios, vagões lotados e cadeias. O ideal seria que os pobres não estivessem nem tão perto, a ponto de macular a cidade restaurada e higienizada, e nem tão longe, a ponto de obrigar a madame a realizar os serviços domésticos que, poucas décadas antes, eram tarefas das mucamas de Sinhá.

33 *Ibidem*, p. 13.

Aqui vem a questão que precisa ser levantada com mais clareza: o controle dos corpos se articula permanentemente ao projeto de desqualificação das camadas subalternas como agentes incessantes de invenção de modos de vida. Este projeto de desqualificação da cultura atua em algumas frentes. Dentre elas, vale citar a criminalização de batuques, sambas, macumbas, capoeiras; e a repressão aos elementos lúdicos do cotidiano dos pobres (o jogo do bicho, reprimido por ser, no início do século XX, uma loteria dos mais humildes, é exemplo disso).

Os corpos pelintras e pombagirados, neste contexto, funcionam como antinomias ao projeto colonizador. Escapam da normatividade pelo transe, questionam em suas gingas e narrativas performáticas o estatuto canônico, levam ao limite da exasperação um projeto civilizatório que não consegue lidar com tamanha radicalização na alteridade.

A estranheza repulsiva que Seu Zé e Maria Padilha, Dona Molambo, Dona Sete Saias e tantas outras pombagiras causam revela assim, desmantelando os velamentos cordatos, o pano de fundo da formação brasileira: o racismo de base colonial. É evidente que raça aqui não é o conceito biológico já superado. Penso, e não há novidade nisso, a raça como categoria política-social-cultural historicamente constituída, que continua atuando com vivacidade nas nossas ruas, cadeias e cemitérios.

O desfile do Salgueiro se localiza, portanto, no campo explicitamente oposto ao daquele em que os mecanismos coloniais atuam, ao trazer para o centro da perspectiva o catimbozeiro virado em malandro e as pombagiras de corpos ajustados, paradoxalmente, na lógica do desajuste normativo da experiência dos corpos livres. Zé Pelintra e as pombagiras, neste sentido, não são sobreviventes; é possível entendê-los a partir de outra categoria: a de supraviventes.

Para definir a supravivência, nada melhor que recorrer à artimanha mandingueira das palavras, esticando a percepção da linguagem para o campo da poesia, onde o arrebatamento, inclusive conceitual, atua. Nossa hipótese é a de que somente a encantação da língua pode dar conta dos corpos malandreados no samba.

O projeto de normatização da vida pressupõe, para que seja bem-sucedido, estratégias de desencantamento do mundo e aprofundamento da colonização dos corpos. É o corpo, afinal, que sempre ameaçou, mais do que as palavras, de forma mais contundente o projeto colonizador fundamentado na catequese, no trabalho forçado, na submissão da mulher e na preparação dos homens para a virilidade expressa na cultura do estupro e da violência: o corpo convertido, o corpo escravizado, o corpo domesticado e o corpo poderoso. Todos eles doentes. Nenhum deles, corpos de pelintras e padilhas.

A colonização (pensada como fenômeno de longa duração, que está até hoje aí operando suas artimanhas) gera *sobras viventes,* gentes descartáveis que não se enquadram na lógica hipermercantilizada e normativa do sistema. Algumas *sobras viventes* conseguem virar sobreviventes. Outras, nem isso. Os sobreviventes podem virar *supraviventes*; aqueles que foram capazes de driblar a própria condição de exclusão (as *sobras viventes*), deixaram de ser apenas reativos ao outro (como sobreviventes) e foram além, inventando a vida como potência (*supraviventes*).

É na supravivência que o malandro divino e a dona das tabernas e encruzilhadas atuam. Eles trazem em seus corpos o grande signo da malandragem, a capacidade de se adaptar aos espaços do precário, e acabam subvertendo estes próprios espaços ao praticá-los como terreiros de saberes encantados, sacralizando o mundano e profanando o sagrado. São os corpos de Pelintras e Padilhas, em interação fantástica com seus cavalos de santo, que operam na mais radical oposição ao projeto colonial. São, por isso mesmo, talhados para o exercício sublime da liberdade. É como tal que incomodam, desafiam e, sobretudo, amedrontam aos normatizados na lógica da contenção dos corpos ao insistir gargalhando na vida: macumba.

6. O CARNAVAL MACUMBEIRO DO REI DA LIRA

> Apesar da abertura oficial do carnaval do Rio, ao toque das cornetas do Cordão da Bola Preta, não ter empolgado o carioca na manhã de ontem, coube mesmo ao Seu Sete da Lira trazer animação para a Avenida Rio Branco, o que só ocorreu depois das 16 horas. O Bloco da Lira saiu este ano a primeira vez e Seu Sete fez questão de ir para a avenida, defendendo o samba que seu "cavalo", Cacilda de Assis, fez para o carnaval, conseguindo a terceira colocação no festival promovido pela Secretaria de Turismo. O bloco formou-se às 15 horas na Rua da Alfândega, com moças e rapazes de shorts e bermudas vermelhas e camiseta branca com escudo do Seu Sete – um círculo vermelho com um sete preto. Seu Sete usava um terninho dourado, cartola e capa vermelha.

FOI ASSIM QUE o jornal *O Estado de S. Paulo*, na edição da sucursal carioca sobre o carnaval de 1972, descreveu o desfile do bloco de carnaval comandado pelo exu Seu Sete da Lira, provavelmente a entidade mais famosa da história das macumbas do Rio de Janeiro. Incorporado na médium Dona Cacilda de Assis, Seu Sete cruzou a avenida Rio Branco seguido por mais de 500 cambonos e milhares de foliões.

Seu Sete trabalhou e curou durante muito tempo em um galpão em Santíssimo, zona oeste do Rio de Janeiro, transformado em terreiro. Os pontos da entidade eram tocados em ritmo de samba, ao som de tambores, pandeiros, chocalhos, cavaquinho e acordeão. As sessões em que Seu Sete trabalhava começavam, em geral, com a Ave-Maria de Gounod, já que o rei da lira se declarava católico apostólico romano.

Dona Cacilda de Assis, a médium que era cavalo de Seu Sete, iniciou-se religiosamente aos 15 anos, no Terreiro Pai Benedito do Congo, em Valença, Rio de Janeiro. Além de trabalhar com Seu Sete, era filha de Xangô e Iansã e também recebia, dentre outras entidades, a pombagira Dona Audara Maria, a senhora da rosa vermelha.

O sucesso de Seu Sete da Lira como entidade da linha da cura e da alegria foi tamanho que o Exu acabou parando na televisão. No dia 29 de agosto de 1971, ano anterior ao carnaval em que comandou um bloco, o Rei da Lira concedeu entrevistas ao vivo e comandou giras, incorporado em Dona Cacilda, nos programas do Chacrinha, na TV Globo, e de Flávio Cavalcante, na TV Tupi. A disputa pela audiência entre Chacrinha e Flávio fazia com que fosse relativamente comum que um convidado que dava entrevistas a um programa fosse, no mesmo dia, ao outro.

O mesmo *Estado de S. Paulo*, que noticiaria meses depois o sucesso do bloco de carnaval liderado por Seu Sete, descreveu na edição de 3 de setembro de 1971 a presença da entidade nos programas de TV:

> A disputada mãe-de-santo Dona Cacilda de Assis transformou os estúdios da Globo e da Tupi em verdadeiros terreiros de macumba. Embora as apresentações diferissem, o espetáculo em si foi o mesmo: os umbandistas de "Seu Sete" invadiram o palco (baianas, cantores, pessoas bem-vestidas) num tumulto indescritível.

Na edição do dia 4 de setembro de 1971, *O Jornal* veio com declarações de religiosos sobre a exibição de Seu Sete. O arcebispo do Estado do Rio de Janeiro, dom Antônio de Moraes, declarou:

> Pensamos que a liberdade religiosa é um grande bem e a expressão de alta cultura de um povo. Mas a liberdade, para ser legítima, deve ser colocada dentro das coordenadas do respeito à dignidade da pessoa humana (...). Lamentamos profundamente o espetáculo de Seu Sete.

A mesma edição informa que a Federação Espírita do Estado do Rio também condenou o evento, afirmando que *a mulher que se apresenta como um espírito tem o total repúdio dos espíritas de todo o Brasil.*

Em seguida, o jornal trouxe longa reportagem sobre o que definiu como *misticismo*, afirmando que a questão deveria ser tratada não só no âmbito religioso, mas também em dimensões psicológicas e policiais. Ao mencionar Seu Sete, a reportagem o comparava a Zé Arigó, médium de Congonhas do Campo que incorporava o espírito do médico alemão Dr. Fritz; à Isaltina, rezadeira de Queimados, Baixada Fluminense carioca, que andava curando com água benta; a certo caboclo Marujo, que curava em Niterói misturando pontos de macumba a músicas de Bach e Beethoven; a Joãozinho da Gomeia, o famoso babalorixá que, ainda nas palavras do jornal, *levou ao máximo o curandeirismo e deu até show em teatro*; e a Lourival de Freitas, o Nero de Cavalcante, médium do subúrbio carioca que, nas décadas de 1950 e 1960, dava consultas incorporando o imperador romano ao lado de outra médium que recebia o espírito de Agripina, a mãe do Cesar. O Nero de Cavalcante, além disso, dominava a arte da levitação.

O resultado daquela noite na televisão foi que os homens da ditadura militar então vigente interferiram na questão e a Globo e a Tupi tiveram que assinar um acordo de autocensura. Os militares baixaram ainda um decreto de censura prévia aos programas ao vivo. Criou-se um órgão federal controlador da umbanda, o governo abriu uma sindicância que culminou, no final do processo, com a recomendação de fechamento do terreiro, sob acusação de que Dona Cacilda explorava a crendice popular e propagava o charlatanismo.

Meses antes de ter comparecido aos programas de televisão, Seu Sete da Lira fora citado da seguinte forma no prestigiado *Correio da Manhã* (3 de fevereiro de 1971):

> Amanhã, quinta-feira, a Portela promove festa de samba em sua sede, na Estrada da Portela, 446, em homenagem a "Seu Sete da Lira". Na oportunidade, será comemorado mais um aniversário da neta de Dona Cacilda, cavalo de Seu Sete.

Além de frequentar escolas de samba, Seu Sete lançou LPs com sambas, pontos de macumba e marchas carnavalescas, gravou uma marcha para o time de futebol mais popular do Brasil ("Exu é Flamengo!") e foi homenageado pelo Bafo da Onça, bloco de embalo do carnaval de rua carioca e rival do Cacique de Ramos nos dias de folia, com um samba macumbado irresistível que sacudiu os foliões:

> Você botou meu nome
> Na boca do bode
> Eu sou filho do Seu Sete
> Comigo você não pode!

As maneiras como os eventos que envolveram Seu Sete da Lira foram relatados não raro resvalaram na folclorização e na bizarrice em torno dos acontecimentos. Inúmeros depoimentos de quem frequentou o terreiro em Santíssimo dão conta, todavia, da seriedade, da firmeza e dos feitos extraordinários do trabalho de Dona Cacilda de Assis como propagadora de uma umbanda visceralmente popular, acessível, carioca, suburbana, ancorada nos encruzilhamentos entre o sagrado e o profano que marcam o processo de construção da cultura do Rio de Janeiro, com todas as suas contradições, dinâmicas, incongruências, desconfortos e belezas.

Na já citada reportagem de *O Jornal*, os articulistas Marco Antônio Ribeiro e Sheila Lobato concluíram:

> O que Seu Sete fez na televisão brasileira é uma ameaça à cultura de um povo em desenvolvimento, lutando para extinguir preconceitos ultrapassados. (...) Psicólogos, psiquiatras, juristas, educadores e todo mundo que tem a cabeça no lugar ficaram horrorizados com tamanha cena de grotesco.
>
> (...) Seu Sete da Lira é o nome da atualidade. Só o nome já dá pra pensar. Ninguém discute o fato de que a Umbanda é de origem africana e veio ao Brasil através do negro escravo. Até aí, tudo muito bem. Mas Seu Sete da Lira é exagero. A lira é um dos instrumentos mais requintados e nenhum caboclo do interior da África a conheceu. Como é que se explica que uma entidade africana tenha logo como instrumento a lira? Se ainda fosse um atabaque, era mais fácil da gente engolir, mas lira, é demais.

O que os autores do texto repleto de preconceitos, opondo a lira ocidental como um exemplo de civilização e o atabaque como um exemplo de primitivismo, não previam é que vários umbandistas repudiaram a afirmação de que a umbanda é de origem africana e procuraram afirmar que Seu Sete não seria uma entidade umbandista, e sim das quimbandas e macumbas.

De certa forma o polêmico e performático Seu Sete da Lira, que atraía e desconfortava as pessoas com igual intensidade, encarnou no imaginário alguns dilemas cruciais da história da umbanda: ela é africana, brasileira, europeia? Surgiu no Congo, na Índia, no Egito, em um continente perdido? Para se legitimar como religião, é preciso negar a africanidade ou afirmá-la? Qual é o papel da cultura negra no processo civilizatório brasileiro? É o que discutiremos na segunda parte deste trabalho.

Para concluir e expressar uma vivência afetiva que me marcou, recordo-me que cresci no ambiente dos terreiros escutando maravilhas sobre o trabalho firme de Seu Sete da Lira e de Dona Cacilda de Assis. A declaração que Adão Lamenza, agente de viagens que foi cambono de Seu Sete por mais de 30 anos, deu ao site *Notícias de Terreiro*, no dia 7 de março de 2018, de certa forma reflete o que milhares de cariocas que conviveram com o exu músico, carnavalesco, amoroso, poeta, macumbeiro e curador, no terreiro de Santíssimo, assinariam:

> Presenciei muitas curas, muito amor, muita alegria e noites tão maravilhosas e encantadas que passavam num piscar de olhos. O trabalho verdadeiro de Seu 7 da Lira magnetiza a todos, tamanho era o seu poder de prestar caridade dando a todos: caminho, saúde, e segurança de vida.

Definindo-se como praticantes de uma "umbanda branca", alguns religiosos repudiavam as fuzarcas rueiras de pelintras e padilhas e os tambores, cavacos, violas e pandeiros das rodas de Seu Sete, bradando: umbanda não é macumba!

Mas será que é também? Das santidades indígenas da colônia ao terreiro de Santíssimo, cruzando avenidas, águas, florestas, praias, oceanos e aldeias, as sabenças encantadas entrecruzam-se nas tarefas que a todas une: curar os corpos, recriar o mundo, driblar a morte, inventar a vida.

PARTE II

Políticas do Encantamento

1. UMBANDA NÃO É MACUMBA. OU É?

Mitos de origem

"O MITO É o nada que é tudo". A sentença, do poeta Fernando Pessoa, sintetiza de certa forma a complexidade que as mitologias diversas guardam e apontam para a função dos mitos como modeladores de conduta de grupos sociais. No fim das contas, os mitos são versões do real que operam na dimensão fabular, e frequentemente, quando são ritualizados, fornecem às comunidades subsídios para a manutenção da coesão entre seus membros.

Ao contrário do que se imagina, além do preconceito que esta visão destila, mitos não são estágios primitivos de percepção do real que as sociedades ocidentais superaram ao atingir certo nível de desenvolvimento. O francês Raoul Girardet defende, ao contrário do que aparentemente acontece, que a prática política ocidental, sob o manto da razão iluminista, se inscreve o tempo todo no campo das narrativas legendárias e das versões fabulares do real. Nós vivemos – no aparente mundo das luzes – em torno das brumas das fabulações, dos mitos e das histórias legendárias o tempo inteiro.[34]

As sociedades ocidentais contemporâneas, apesar de aparentemente racionalistas, transitam em torno de pelo menos quatro grandes mitos políticos, com suas variantes conjunturais: o Mito da Conspiração (há sempre o inimigo que precisa ser combatido, disposto a destruir nosso ideal de mundo), o Mito da Idade do Ouro (há um passado imaculado em que a inocência, a pureza, a solidariedade e os laços de amizade prevalecem, diante do presente turbulento), o Mito do Salvador (somos herdeiros – ateus ou religiosos – do messianismo naturalizado do Cristo, e esperamos sempre o homem providencial, redentor, que encarna os valores que nos levarão a dias melhores) e o Mito da Unidade (o mito da busca por uma vontade una e regular, perpassando as discussões sobre a nacionalidade).

Os mitos são dinâmicos, mutáveis; as sociedades reformam seus signos e símbolos o tempo inteiro, mas o complô, o herói, a idade do ouro e a unidade estão ali, sempre alicerçando nossas convicções políticas. O cientista social que estuda o mito fará, é claro, um trabalho provisório e sujeito a fracassos, como qualquer trabalho intelectual que se preze. Se ele acredita no mito, dificilmente conseguirá destrinchar sua dinâmica, já que está inserido no campo da crença. Se não acredita, sempre perderá, em alguma medida, a compreensão da completude simbólica que explica, para os seus seguidores, o mundo.

---

34 Raoul Girardet, *Mitos e mitologias políticas*, 1987.

Dentre os diversos mitos de origem da umbanda, e mitos de origem em geral fundam uma ideia de passado capaz de definir as nossas condutas no presente, o mais famoso é o da anunciação do Caboclo das Sete Encruzilhadas. Tal fato teria ocorrido no início do século XX, em Neves, na cidade de São Gonçalo, Rio de Janeiro, depois que o jovem Zélio Fernandino de Moraes sofreu uma paralisia inexplicável. A versão mais propalada da história diz que a família do rapaz o levou na ocasião a uma rezadeira conhecida na região, que incorporava o espírito do preto velho Tio Antônio.

A entidade afirmou que Zélio era médium e deveria desenvolver o dom. No dia 15 de novembro de 1908, por indicação de um amigo do pai, Zélio foi levado à Federação Espírita de Niterói. Subvertendo as normas do culto, o rapaz levantou-se da mesa em que estava e disse que ali faltava uma flor. Foi até o jardim, apanhou uma rosa branca e colocou-a, com um copo de água, no centro da mesa de trabalho.

Ainda segundo a versão mais propalada, Zélio incorporou um espírito e simultaneamente diversos médiuns presentes receberam caboclos, índios e pretos velhos. Ao ser repreendido por um dirigente da Federação Espírita, o espírito incorporado em Zélio perguntou qual era a razão para evitarem a presença dos pretos e índios do Brasil, se nem sequer se dignavam a ouvir suas mensagens.

Um membro da federação inquiriu o espírito que Zélio recebia, com o argumento de que pretos, índios e caboclos eram atrasados, não podendo ser espíritos de luz. Ainda perguntou o nome da entidade e ouviu a seguinte resposta:

Se querem saber meu nome que seja este: Caboclo das Sete Encruzilhadas, porque não haverá caminhos fechados para mim.

Há ainda algumas versões que afirmam que em uma de suas encarnações, o Caboclo das Sete Encruzilhadas – segundo esta perspectiva o fundador da umbanda – teria sido o padre jesuíta Gabriel Malagrida, um religioso que morreu queimado numa fogueira do Santo Ofício da Inquisição por ter se insurgido, no século XVIII, contra o marquês de Pombal, ministro português do rei dom José I e notório crítico das ações da Companhia de Jesus. O Caboclo das Sete Encruzilhadas teria ainda anunciado que as entidades que viriam trabalhar no novo culto chegariam em nome de Santo Agostinho.

Após este episódio, Zélio fundou em Niterói um centro espírita autorreferenciado como umbandista, cristão e brasileiro, a Tenda Espírita Nossa Senhora da Piedade, registrada em um cartório de Niterói e que deu origem, com o passar dos anos, a várias outras tendas de linha similar.

A linha aberta pelo mito da anunciação do Caboclo das Sete Encruzilhadas marca, para os adeptos de certa umbanda, o início da codificação de uma tradição vigorosamente marcada pelo cristianismo e pelo espiritismo kardecista, que operará, especialmente a partir da década de 1930, em duas dimensões aparentemente contraditórias: de um lado, se empenhará na tarefa de desafricanizar a umbanda; de outro, terá na centralidade de seus rituais a incorporação pelos médiuns de espíritos dos indígenas e dos pretos velhos, que ao trabalhar na linha da caridade poderiam cumprir os seus processos evolutivos no campo espiritual.

É sintomático que a anunciação da umbanda, na linha criada por Zélio, tenha vindo de um espírito que foi um jesuíta, já que os padres da Companhia de Jesus tinham a fama, desde o primeiro século da colonização do Brasil, de protetores dos indígenas contra os colonos que pretendiam escravizá-los. Podemos ainda propor, conforme Diana Brown, que o papel do padre, ao reconhecer africanos e ameríndios, simbolizados pelos espíritos de pretos velhos e caboclos, sugere que a Igreja católica em si teria sancionado a criação da umbanda.[35]

É emblemático que a umbanda, se tomarmos como referência aqui o mito fundador da anunciação do caboclo, tenha começado a estruturar o seu culto em um momento singular dos debates sobre a construção da identidade nacional: o período pós-abolição e as primeiras décadas da República. A história da umbanda e os significados do seu mito fundador contam muito sobre os tensionamentos que pautaram os debates sobre a formação brasileira.

Nos anos seguintes à época da referida anunciação, os seguidores da trilha aberta pela Tenda Nossa Senhora da Piedade já começam a reivindicar para si a prática de uma "umbanda branca", ou "umbanda pura". Desta forma, em busca talvez de legitimidade institucional e reconhecimento social em setores mais abastados e poderosos da população, a "umbanda branca" procuraria definir fronteiras precisas para diferenciar-se das macumbas de filiações africanas mais evidentes. Mas será que o brado do Caboclo das Sete Encruzilhadas se resume a isso?

---

35 Diana Brown, *Umbanda: Religion and Politics in Urban Brazil*, p. 40.

Não me parece que devamos apenas aderir a algumas interpretações mais simples e evidentes, que não estejam atentas a certos detalhes da propalada anunciação de 1908. Como diz a sabedoria popular, tem caroço escondido neste angu. Além de fazer referência a um padre jesuíta (Malagrida), que se amalgama a um espírito indígena brasileiro, o relato insinua, no nome do caboclo (das Sete Encruzilhadas), uma ligação forte com a cultura dos congos, especialmente em relação à evocação das encruzilhadas pela entidade.

As encruzilhadas são lugares de encantamentos para todos os povos e exemplos não faltam: os gregos e romanos ofertavam a Hécate, a deusa dos mistérios do fogo e da lua nova, oferendas nas encruzilhadas. No Alto Araguaia, era costume indígena oferecer comidas propiciatórias para a boa sorte nos entroncamentos de caminhos. O padre José de Anchieta menciona presentes que os tupis ofertavam ao curupira nas encruzilhadas dos atalhos. O profeta Ezequiel, segundo relato do Antigo Testamento, viu o rei da Babilônia consultando a sorte numa encruzilhada. Gil Vicente, no *Auto das Fadas*, conta a história da feiticeira Genebra Pereira, que vivia pelas encruzilhadas evocando o poder feminino.[36]

Apesar dos exemplos acima, é na cultura dos congos que as encruzilhadas, sobretudo em formato de cruz, adquirem com maior ênfase o papel de lugar por excelência das dinâmicas espirituais do tempo, da vida e da morte. A cosmopercepção dos congos é representada pelo dikenga, uma mandala mar-

36 Luiz Antonio Simas, *Almanaque brasilidades*, 2018, p. 209.

cada por um círculo dividido por uma cruz, que apresenta os mistérios da vida, do universo e do tempo a partir dos quatro momentos do sol: o nascer, na alvorada; o auge do brilho, ao meio-dia; o poente; e a meia-noite, quando o astro brilha no outro mundo. Se o círculo da mandala representa a órbita circular do espírito (nascimento, vida, morte e renascimento em outro mundo), a cruz é a expressão da encruzilhada dos fluxos e encontros entre as dimensões do visível e do invisível, do mundo dos vivos e do mundo dos espíritos.

A própria denominação que o Caboclo das Sete Encruzilhadas dá ao culto como "umbanda" também poderia indicar a influência das culturas bantos. O vocábulo, aliás, já era amplamente conhecido em terras africanas, ao contrário de quem sugere que ele tenha sido criado pelo caboclo. Conforme Nei Lopes:

> O vocábulo umbanda ocorre no umbundo e no quimbundo, significando arte do curandeiro, ciência médica, medicina. Em umbundo, o termo que designa o curandeiro, o médico tradicional, é mbanda; e seu plural é imbanda. Em quimbundo, o singular é quimbanda, e seu plural é imbanda, também. Observe-se que a medicina tradicional africana é também ritualística, daí o mbanda ou kimbanda ser confundido com o feiticeiro, o que não é correto, já que os papéis são bem distintos: o mbanda cura, o feiticeiro (ndoqui, em quicongo), faz malefícios.[37]

---

37 Nei Lopes, *Dicionário banto do Brasil*, 2003, pp. 218-219.

Acrescentando elementos à citação de Lopes, Yeda Pessoa de Castro sugere também que, além de *mbanda*, o vocábulo pode fazer referência ao umbundo *bandala*: invocar os espíritos, suplicar.[38]

Em larga medida, a umbanda anunciada pelo Caboclo das Sete Encruzilhadas se apresenta – em suas aparentes idiossincrasias, contradições, nuances e rasuras – como um campo fértil para se discutir algo mais amplo: o desafio de se pensar uma identidade brasileira como síntese de uma formação histórica marcada pela presença do europeu, do africano e do indígena. Como é que um culto que traz para o centro de sua configuração as heranças espirituais indígenas e africanas pode, ao mesmo tempo, abrir caminho para que surjam propostas de desafricanização deste mesmo culto?

Tal debate vai se situar, especialmente na primeira metade do século XX, em um contexto marcado por duas perspectivas. Uma delas é a que enxerga como caminho de construção da identidade brasileira o branqueamento racial. A outra é a que pensa esta identidade a partir da elaboração de um paradigma da mestiçagem baseado em um projeto de Estado-Nação ancorado no que chamarei aqui de "inclusão subalterna" de indígenas e negros.

Sobre o branqueamento racial, é fato fartamente documentado que alguns governos brasileiros, com apoio de parte dos segmentos mais favorecidos e de alguns intelectuais que abraçaram a eugenia, tentaram apagar, nos primeiros anos

---

38 Yeda Pessoa de Castro, *Falares africanos na Bahia*, 2001, p. 347.

do período pós-abolição, a presença dos afrodescendentes da História do Brasil. Este projeto se manifestou tanto do ponto de vista fenotípico como do cultural.

Tal projeto está sintetizado em uma afirmação de Oliveira Vianna, jurista, historiador e sociólogo que seduziu gerações com seu livro *Evolução do povo brasileiro*, lançado na década de 1920:

> O valor de um grupo étnico é aferido pela sua maior ou menor fecundidade em gerar tipos superiores, capazes de ultrapassar pelo talento, pelo caráter ou pela energia da vontade, o estalão médio dos homens de sua raça ou do seu tempo. Em todas as raças humanas, mesmo as mais baixamente colocadas na escala da civilização, esses tipos superiores aparecem: não há raça sem eugenismo. Quando duas ou mais raças são postas em contato num dado meio, as raças menos fecundas estão condenadas, mesmo na hipótese da igualdade do ponto de partida, a serem absorvidas ou, no mínimo, dominadas pela raça de maior fecundidade. Esta gera senhores; aquelas, os servidores. Esta, as oligarquias dirigentes; aquelas, as maiorias passivas e abdicatórias.[39]

Fisicamente, portanto, o preto sucumbiria ao branqueamento racial promovido pela imigração subvencionada de europeus, que seria capaz de limpar a raça em algumas gerações. Já do ponto de vista cultural, houve uma tentati-

39 Oliveira Vianna, *Evolução do povo brasileiro,* 1956, p. 153.

va sistemática de eliminar as formas de aproximação com o mundo e a elaboração de práticas cotidianas (jeitos de cantar, rezar, comer, louvar os ancestrais, festejar, lidar com a natureza etc.) produzidas pelos descendentes de africanos, desqualificando como barbárie e criminalizando como delitos contra a ordem seus sistemas de organização comunitária e invenção da vida.

Desqualificar as práticas simbólicas de africanas e africanos, diga-se, foi moeda corrente entre certos luminares do pensamento europeu nos séculos XVIII e XIX.

Cito:

"A principal característica dos negros é que sua consciência ainda não atingiu a intuição de qualquer objetividade fixa, como Deus, como leis, pelas quais o homem se encontraria com a própria vontade, e onde ele teria uma ideia geral de sua essência."

"O negro representa o homem natural, selvagem e indomável. Devemos nos livrar de toda reverência, de toda moralidade e de tudo o que chamamos sentimento, para realmente compreendê-lo. Neles, nada evoca a ideia do caráter humano."

"A carência de valor dos homens chega a ser inacreditável. Entre os negros, os sentimentos morais são totalmente fracos – ou, para ser mais exato inexistentes."

As três sentenças são de Hegel.[40]

"Os negros da África não possuem, por natureza, nenhum sentimento que se eleve acima do ridículo."

---

40 G. W. F. Hegel, *Filosofia da história*, 1999, pp. 83-86.

"A pluma de um pássaro, o chifre de uma vaca, uma concha, ou qualquer outra coisa ordinária, tão logo seja consagrada por algumas palavras, tornam-se objeto de adoração e invocação nos esconjuros. Os negros são muito vaidosos, mas à sua própria maneira, e tão matraqueadores, que se deve dispersá-los a pauladas."

As duas sentenças são de Kant.[41]

Os adeptos do branqueamento, em síntese, consideravam que o projeto civilizatório brasileiro deveria ser alicerçado no apagamento de corpos e saberes não brancos.

Já os adeptos da mestiçagem como paradigma identitário do brasileiro consideravam que não havia outro caminho para isso que não passasse pelo reconhecimento de que os dilemas e horrores da nossa formação histórica teriam sido resolvidos no campo do simbólico, pela criação de uma cultura mestiça e original que beberia na fonte das referências europeias, indígenas e africanas.

Mesmo estes, todavia, não pensavam a mestiçagem de uma maneira homogênea. Ao defenderem a contribuição do indígena e do africano para a nossa formação, não deixavam de reconhecer a sua importância e mesmo a sua força intuitiva, mas não negavam que os elementos não brancos estariam em um patamar civilizatório inferior às referências da cultura europeia. É isso que chamo de inclusão subalterna: reconhecer a relevância das três culturas para a formação do Brasil, mas sem romper com a visão que hierarquizava

41 Immanuel Kant *apud* Kabengele Munanga, 1999, pp. 24-26.

esses saberes, de forma a privilegiar aqueles legados pela civilização ocidental.

Para exemplificar melhor esta questão – fundamental para se pensar a umbanda –, recorrerei à história do samba, com um exemplo saído de uma manifestação culturalmente próxima ao ambiente dos terreiros que fala muito sobre os dilemas da religião.

Em 1939, o jornal *O Estado da Bahia* abria espaço para um debate entre Pedro Calmon – diretor da Faculdade Nacional de Direito – e o escritor José Lins do Rego. Em artigo publicado no dia 15 de julho daquele ano, chamado de "O Sr. José Lins é a favor do samba", Calmon desancava o gênero com sentenças como "o samba é o perfil sombrio da senzala"; "o samba não é nosso, ele veio da Costa do Marfim, da Cubata de Luanda e da Selva Senegalesa"; "a expressão do povo é a Pátria, e não o Morro do Salgueiro" e "não somos o Haiti ou a Libéria".

Para Calmon, o Brasil deveria se assumir como um país "formado por portugueses da casa-grande, angolas do eito e índios da selva, mas em que prevaleceu a cultura euro-americana".

A defesa de José Lins do Rego também não era destituída de preconceito. O autor de *Fogo morto* achava que o samba era coisa nossa, ao contrário do que insistia Calmon, mas deveria ser "refinado e sofisticado" pela influência de intelectuais e artistas mais elaborados, como Villa-Lobos.

Pouco depois da polêmica entre Calmon e Zé Lins, o crítico literário Berilo Neves resolveu empunhar a caneta como uma espada afiada e analisar o que era o samba na *Revista da Semana*, publicada no Rio de Janeiro. Afirmando que tinha, inclusive, se disposto ao sacrifício de escutar os batuques, o crítico concluía:

"O samba é uma reminiscência afromelódica dos tempos coloniais. Não é a expressão musical de um povo: é o prurido eczematoso do morro. É o irmão gêmeo destas entidades abstrusas que se chamam Suor, Jogo do Bicho e Malandragem".

Em 1942, o jornalista Sylvio Moreaux mostrou-se, em artigo no *Jornal do Brasil*, favorável ao carnaval e ao samba, contanto que fossem censurados "assuntos apologistas de baixezas, como as macumbas e as malandragens". O samba poderia "livrar o nosso povo das ideias africanistas que lhe são impingidas pelos maestrecos e poetaços do chamado morro". O samba, com indiscutível origem rítmica africana, deveria, segundo Moreaux, simplesmente nos livrar das ideias africanistas.

Outro exemplo, este mais famoso, de inimiga do samba é o da crítica de rádio Magdala de Oliveira, titular de uma coluna no *Diário de Notícias*. Dona Mag – era assim que ela assinava seus arrazoados – atacava sistematicamente a música popular, especialmente o samba e os sambistas, e defendia valores civilizatórios europeus.

Para responder aos ataques de Magdala, Janet de Almeida e Haroldo Barbosa compuseram, em 1941, o samba "Pra que discutir com Madame", só gravado em 1956. A música fez sucesso, mas Mag também não saiu da história com uma mão na frente e outra atrás: apesar de sonhar com um Brasil europeu, virou nome de praça em Campo Grande, no Rio de Janeiro.

Os exemplos mencionados sugerem duas constatações. A primeira é a de que os detratores do samba, com pequenas variações, usavam o mesmo argumento: a origem africana do gênero nos remetia a um Brasil que deveria ser superado para que o país adquirisse um status civilizatório digno. Bárbaro filho das senzalas, o samba era o testemunho de um primitivismo que deveria ser varrido da cultura brasileira.

A segunda constatação: alguns defensores do samba, como é o caso de José Lins do Rego, usavam argumentos que, paradoxalmente, concordavam com a aversão aos africanismos denunciados pelos detratores. Para ser utilizado como um elemento de construção de um projeto de identidade nacional pelo Estado, e para ser incorporado à indústria fonográfica como uma música de consumo acessível, o samba precisava ser domesticado, desafricanizado e desmacumbado.

O projeto de domesticação do samba, em larga medida, com tensões e contrapontos vigorosos, como os de Candeia, Clementina de Jesus, Nei Lopes, Wilson Moreira e outros, se consolidou. Desvinculado de suas ligações mais fortes com as áfricas e as macumbas, o samba aliou-se no imaginário popular a uma mítica alegria brasileira. É neste sentido que o mercado publicitário muitas vezes o retrata, limitado ao território estreito e fabular onde moram a alegria e o consenso social e onde o racismo estrutural brasileiro parece ser só uma história da Carochinha.

Levando esse imbróglio para o campo da umbanda, teremos cada vez mais um debate que, dentre várias nuances, acaba se desdobrando nas disputas pelo imaginário do culto e nas criações de tradições que disputarão as versões sobre as suas origens. De um lado, teremos o crescimento de uma umbanda que se reivindicará como cristã e brasileira: a umbanda autorreferenciada como "branca"; a nosso ver um típico exemplo do discurso da mestiçagem como processo de inclusão subalterna inserida, ao mesmo tempo, na busca por legitimidade institucional em uma conjuntura bastante específica. Do outro, uma concepção de umbanda afro-brasileira, que buscará ressaltar a identidade afrodiaspórica do culto. O exemplo mais contundente desta linha é a corrente do omolokô, que tem como nome de destaque o Tata Tancredo da Silva Pinto. Vale ressaltar ainda que diversas outras linhas de umbanda trilharão caminhos cruzados entre as duas vertentes expostas.

A questão jurídica

É necessário destacar que as décadas de 1940 e 1950 apontam para uma maior projeção das religiões brasileiras fundamentadas em saberes afroindígenas, em um contexto marcado pelas repercussões do decreto-lei nº 1.202, de 8 de abril de 1939, lançado pela ditadura do Estado Novo de Getúlio Vargas. Ao dispor sobre a administração dos estados e municípios, conforme previsto no artigo 180 da Constituição de 1937, o artigo 33 do decreto afirmava "que é vedado ao Estado e ao Município estabelecer, subvencionar ou embargar o exercício de cultos religiosos".

Se o decreto de Getúlio, por um lado, cria um ambiente mais propício aos terreiros, por outro temos medidas que abrem as portas para a repressão a esses mesmos terreiros, que aparentemente não poderiam mais ser reprimidos. Uma das ameaças mais evidentes se vincula ao artigo 284 do decreto-lei nº 2.848 do Código Penal, de 7 de dezembro de 1940, a seguir transcrito:

> Art. 284 – Exercer o curandeirismo:
> I – prescrevendo, ministrando ou aplicando, habitualmente, qualquer substância;
> II – usando gestos, palavras ou qualquer outro meio;
> III – fazendo diagnósticos:
> Pena – detenção, de seis meses a dois anos.
> Parágrafo único – Se o crime é praticado mediante remuneração, o agente fica também sujeito à multa.

Uma breve leitura do artigo permite constatar que, por ele, diversas práticas religiosas afroindígenas poderiam ser enquadradas como crimes contra a saúde pública. Por curandeiro, o Código Penal define todo aquele que adota procedimentos de cura sem possuir um diploma de medicina reconhecido. A prática do curandeirismo estaria manifesta não apenas na recomendação de substâncias terapêuticas, mas também em gestos, palavras ou na emissão de diagnósticos a respeito de doenças.

Considerada ao pé da letra, a penalização do curandeirismo poderia levar à cadeia não só um praticante ilegal da medicina, mas todo aquele que usasse tecnologias de cura baseadas no uso de defumadores, banhos de ervas, descarregos, consultas com caboclos e pretos-velhos etc. Diversos pontos cantados poderiam ser suficientes para caracterizar a prática do crime, bastando para isso que alguma evocação à cura fosse explicitada.

No ano seguinte ao decreto acima mencionado, Getúlio Vargas assinou o decreto-lei nº 3.688, de 3 de outubro de 1941, que versava sobre contravenções penais. O capítulo IV do decreto falava especificamente sobre contravenções referentes à paz pública e, no artigo 42, previa a pena de prisão simples, pelo período de quinze dias a três meses, ou multa, de duzentos mil-réis a dois contos de réis, para quem perturbasse o trabalho ou o sossego alheio com gritaria ou algazarra; exercendo profissão incômoda ou ruidosa, em desacordo com as prescrições legais; abusando de instrumentos sonoros ou sinais acústicos; provocando ou não procurando impedir barulho produzido por animal de que tem a guarda. A perturbação da paz pública foi constantemente evocada para reprimir terreiros, sobretudo aqueles que realizavam os ritos com instrumentos de percussão e cantos.[42]

---

42 Joana Bahia e Farlen Nogueira, "Tem Angola na Umbanda?", 2018.

Em 1946, a Constituição Federal promulgada após a ditadura do Estado Novo estabeleceu, em seu artigo 141, parágrafo 7º, conforme projeto original do escritor e então deputado federal Jorge Amado, que "é inviolável a liberdade de consciência e de crença e assegurado o livre exercício dos cultos religiosos, salvo o dos que contrariem a ordem pública ou os bons costumes".

Cinco anos depois, foi sancionada a lei nº 1390, de 3 de julho de 1951. Mais conhecida como lei Afonso Arinos, ela incluía entre as contravenções penais a prática de atos resultantes de preconceitos de raça ou de cor. Em seus nove artigos, a lei considerava ato preconceituoso quando, em virtude da raça ou da cor, se vetasse a entrada de pessoas em estabelecimentos comerciais, em hotéis, em parques de diversões ou praças de esportes, em salões de barbearias ou cabeleireiros, em estabelecimentos de ensino de qualquer curso ou grau. Ela não mencionava nenhum aspecto que envolvesse o preconceito racial no campo das manifestações culturais e religiosas.

O que podemos depreender dessa breve exposição de alguns aspectos legais é que o Estado brasileiro parecia mesmo lidar com a questão racial – e manifestadamente a sua expressão no campo religioso – na base do popular "morde e assopra". Ao mesmo tempo que se estabelecia um discurso, ancorado na ideologia da mestiçagem, que abria caminho para a elaboração da fantasia da "democracia racial brasileira" – e neste sentido as práticas religiosas não brancas deixavam de ser encaradas como crimes e estavam plenamente liberadas – criavam-se subterfúgios legais que, sem manifestações explícitas, permitiam a continuidade das perseguições aos cultos.

As perseguições às macumbas, umbandas, catimbós, candomblés, encantarias diversas, serão geralmente legitimadas a partir de sanções previstas contra as suas tecnologias de encanto, encaradas como curandeirismo e perturbação da ordem pública: tambores batendo, mugingas (a limpeza dos corpos com comidas, animais, folhas etc. como procedimento de cura), cantos, defumações, ebós variados...

De certa forma, é como se a legislação refletisse dilemas que envolviam o próprio pensamento social brasileiro: somos mestiços, resolvemos os horrores da nossa formação, reconhecemo-nos como o resultado original do encontro das raças, valorizamos os elementos indígenas e negros na constituição de um "ser brasileiro"; ao mesmo tempo, consideramos que essa pertença afroindígena está hierarquicamente inserida abaixo do impacto civilizatório trazido pela tradição europeia.

Brasil: um projeto de encontro entre desiguais

Entranhada no imaginário brasileiro, essa percepção – que valoriza o encontro amoroso, mas paradoxalmente hierarquizado, das raças – se espraia, por exemplo, nos enredos das escolas de samba ao longo de décadas. Vamos a alguns exemplos tirados de uma mesma escola de samba do Rio de Janeiro, a Imperatriz Leopoldinense (encontramos exemplos similares em praticamente todas as agremiações).

Em 1969, a escola desfilou com o enredo "Brasil, flor amorosa de três raças", inspirado no poema "Música brasileira", de Olavo Bilac. No poema de métrica perfeita, Bilac define a música brasileira como a flor amorosa de três raças tristes, resultante da "bárbara poracé, banzo africano, e soluços de trova portuguesa". O samba da Imperatriz destaca a formação miscigenada do Brasil como a nossa originalidade e a cultura mestiça como solução pacífica, cordial e igualitária dos nossos dilemas:

Ó meu Brasil, berço de uma nova era
Onde o pescador espera
Proteção de Iemanjá, rainha do mar
E na cadência febril das moendas
Batuque que vem das fazendas
Eis a lição
Dos garimpos aos canaviais
Somos todos sempre iguais
Nesta miscigenação

Ó meu Brasil
Flor amorosa de três raças (bis)
És tão sublime quando passas
Na mais perfeita integração.

Em 1972, apresentando o enredo Martim Cererê, a partir do poema de Cassiano Ricardo, a escola desfilou com um samba de Zé Catimba e Gibi que logo se transformou em um clássico do gênero:

> Tudo era dia
> O índio deu a terra grande
> O negro trouxe a noite na cor
> O branco a galhardia
> E todos traziam amor
>
> Tinham encontro marcado
> Pra fazer uma nação
> E o Brasil cresceu tanto
> Que virou interjeição.

Além da visão do Brasil como um paraíso racial igualitário – discurso que, gestado desde ao menos a década de 1930, naquele contexto se adequava aos ditames ufanistas do regime militar – o samba vincula o índio (terra) e o negro (noite) aos elementos da natureza. O branco entra com a galhardia – um atributo de fidalguia vinculado à ideia de civilidade, indo além do mundo natural.

Já "Liberdade, Liberdade" – o enredo de 1989 – deu à escola o título do carnaval daquele ano, com um samba espetacular de Jurandir, Niltinho Tristeza, Preto Joia e Vicentinho. A melodia sinuosa, a cadência do ritmo, emoldura uma letra que retrata os últimos anos do Império e a Proclamação da República no Brasil.

Certo trecho do samba diz o seguinte:

A imigração floriu de cultura o Brasil
A música encanta e o povo canta assim
Pra Isabel, a heroína
Que assinou a lei divina
Negro, dançou, comemorou o fim da sina.

O verso "a imigração floriu de cultura o Brasil" sintetiza uma visão, particularmente forte nas primeiras décadas da história republicana e ainda hoje entranhada no imaginário brasileiro, de que a chegada do europeu ao Brasil – branco e cristão – foi, sobretudo, uma aventura civilizatória. O europeu teria trazido, basicamente, cultura para uma terra de bárbaros ameríndios e africanos. O trecho seguinte do samba atribui a libertação dos escravos ao heroísmo da princesa Isabel. A função do negro no processo foi a de dançar para comemorar o fim da sina.

Esta visão, que nos remete a uma integração hierarquizada, mais um dos paradoxos da nossa formação, está absolutamente articulada a certa linha de umbanda que trabalha em uma perspectiva bastante similar: somos resultado da integração de três raças – coisa que se expressa também no campo da espiritualidade –, mas os elementos eurocêntricos, expressos nas tradições cristãs kardecistas, devem ser determinantes e depuradores de práticas africanas e indígenas; e os próprios espíritos não brancos devem ter o direito de trabalhar e praticar a caridade em direção às suas evoluções cármicas.

Dandara e Ligiéro chamam a atenção para a significativa quantidade de textos de líderes umbandistas com maiores influências católicas e kardecistas, que refletem ideias tipicamente eurocentradas, mesmo quando admitem, discutem e usam tecnologias de cura de origem visivelmente africanas. Para estes, o próprio sincretismo afro-brasileiro é um sinal de subdesenvolvimento que deverá apurar-se com o tempo, de acordo com o aumento do grau de escolaridade do povo.[43]

Exemplar dessa perspectiva, e tão límpido que chega mesmo a ser autoexplicativo, é o editorial publicado pelo jornal *O Globo*, no dia 6 de janeiro de 1954:

> A princípio foi moda, e talvez ainda o seja, considerar a macumba como uma manifestação pitoresca da cultura popular, à qual se levam turistas e visitantes ilustres, e que era objeto de reportagens e notícias nas revistas e nos jornais, bem como de romantizações literárias. Isso deu ao culto bárbaro de orixás e babalaôs um prestígio que de outro modo não poderia ter e o fez propagar-se das camadas menos cultas da população para a classe média e empolgar até pessoas das próprias elites. É essa infecção que queremos apontar com alarme. É essa traição que queremos denunciar com veemência. É preciso que se diga e que se proclame que a macumba, de origem africana, por mais que apresente interesse pitoresco para os artistas, por mais que seja um assunto digno para o sociólogo, constitui manifestação de uma forma primitiva e atrasada da civilização e a sua exteriorização e desenvolvimento são fatos desalentadores

43 Zeca Ligiéro e Dandara, *Iniciação à umbanda*, 2018.

> e humilhantes para nossos foros de povo culto e civilizado. Tudo isso indica a necessidade de uma campanha educativa para a redução desses focos de ignorância e de desequilíbrio mental, com que se vêm conspurcando a pureza e a sublimidade do sentimento religioso.[44]

O editorial em questão circula em um terreno muito afeito a certas perspectivas umbandistas. Jota Alves de Oliveira, citado por Dandara e Ligiéro, afirma:

> De que espécie são tais pessoas ou espíritos que atuam nos terreiros de candomblés? Os antepassados das tribos africanas seriam espíritos adiantados? Diz-nos a razão que são espíritos atrasadíssimos. Espíritos materialistas de baixa categoria. (...) Há, pois, que se estabelecer diferenças entre os Orixás sanguinários do candomblé e da umbanda. Não são, como provamos, as mesmas entidades. São Jorge e São Sebastião, Santo Antônio e São Francisco de Assis; Santas e Nossas Senhoras, todos espíritos evoluídos, de alta moral, grandes pela sabedoria e humildade, não podem ser confundidos com os espíritos sanguinários dos candomblés.[45]

Não parecem restar dúvidas, diante de exemplos vastos disponíveis na literatura umbandista, que os desdobramentos da umbanda que se autorreferencia como "branca" ou "cristã"

---

44 Luiz Antonio Simas, *Pedrinhas miudinhas*, 2013, p. 107.

45 Jota Alves de Oliveira *apud* Zeca Ligiéro e Dandara, *Iniciação à umbanda*, 2018, p. 109.

operam em algumas dimensões, por vezes contraditórias, que não podem ser ignoradas, nem simplificadas. Em um contexto marcado por sistemática repressão policial, e dentro de um imaginário em que a própria ideologia da mestiçagem é mais uma afirmação do racismo brasileiro do que uma negação a ele, inúmeros terreiros buscam costurar uma legitimidade social ancorada na separação entre a umbanda e as religiões afro-brasileiras. Datam desse contexto as insistentes referências à já citada máxima de que "a umbanda não é macumba".[46]

46 *Ibidem.*

2. A FEDERALIZAÇÃO E O I CONGRESSO BRASILEIRO DE ESPIRITISMO DE UMBANDA

EM 1939, TIVEMOS a fundação da Federação Espírita Umbandista, que apresentou como mote para a sua criação a importância de uma instituição com o intuito de fornecer assessoria jurídica aos terreiros filiados (na década de 1950, a FEU virou União Espírita da Umbanda do Brasil – UEUB, tendo o próprio Zélio como vice-presidente). Os nomes das tendas que participaram da fundação dão uma pista interessante do perfil que ela terá: Jesus de Nazaré, São José dos Humildes de Jesus, Coração de Jesus, São Jorge, São Jorge e São Miguel, Nossa Senhora da Guia, São Jerônimo, Santa Bárbara, São Benedito, Nossa Senhora da Conceição, São Miguel, Nossa Senhora da Piedade, São Thomé, Senhor do Bonfim, Praticantes da Caridade, Santo Antônio dos Pobres. Humildade e Caridade.

Os nomes em questão podem apenas sugerir o desejo de vincular a umbanda ao cristianismo, mas podem também se inserir em uma tentativa de evitar, ou ao menos diminuir, a repressão policial às casas de culto.

Em 1941, o I Congresso Brasileiro de Espiritismo da Umbanda afirmou em sua declaração final a urgente desvinculação da "umbanda pura" das magias de origem africana. Na ocasião, estabeleceu-se a necessidade de se delimitar fronteiras rígidas entre a umbanda e a quimbanda, expressão que os congressistas utilizaram para definir tudo aquilo que a umbanda não poderia ser. Ao analisar as discussões, conclusões e declarações do congresso, Diana Brown conclui:

> Todos os males contra os quais esses umbandistas declararam guerra vieram a ser epitomizados sob o termo quimbanda (...) definida nesse Congresso como sendo magia negra e prática do mal, associada com espíritos imorais, poderes malignos e com bárbaros rituais africanos.[47]

Ao declarar que a umbanda era o oposto da quimbanda, os congressistas atribuíram a esta última o caráter de "linha esquerda, magia negra, prática do mal e exploração", enquanto a umbanda percorreria o terreno da "linha branca, magia branca, prática do bem e caridade".[48]

Uma análise dos anais do Congresso oferece pistas interessantes para acompanhar esse processo de construção de uma umbanda desafricanizada, que deveria dissociar-se do primitivismo dos cultos africanos.

---

47 Diana Brown *apud* Zeca Ligiéro e Dandara, *Iniciação à umbanda*, 2018, p. 113.
48 *Ibidem*.

Dentre os congressistas, Diamantino Fernandes foi um dos mais influentes e contundentes defensores da desafricanização. Para ele, a confusão entre a umbanda, a magia negra e o candomblé deveria ser combatida com firmeza. Evocando a mesologia, ciência que estuda as relações entre os seres e o meio ambiente em que vivem, Fernandes concluiu que era peculiar aos povos africanos "a ausência completa de qualquer forma rudimentar de cultura entre eles, para chegarmos à evidência de que a Umbanda não pode ter sido originada no Continente Negro, mas ali existente e praticada sob um ritual que pode ser tido como a degradação de suas velhas formas iniciáticas".[49]

Continuando com a linha argumentativa, o congressista reivindicou uma origem oriental para a umbanda, misturando a lendária Lemúria (um continente que teria submergido no Oceano Índico e que em tempos remotos ligaria Madagascar, a Índia meridional e a Austrália), e os povos hindus:

> Sabendo-se que os antigos povos africanos tiveram sua época de dominação além-mar, tendo ocupado durante séculos uma grande parte do Oceano Índico, onde uma lenda nos diz que existiu o continente perdido da Lemúria, do qual a Austrália, a Australásia e as ilhas do Pacífico constituem as porções sobreviventes —, fácil nos será concluir que a Umbanda foi por eles trazida do seu contato com os povos

49 Diamantino Coelho Fernandes, "O Espiritismo de Umbanda na evolução dos povos", 1942, p. 24.

> hindus, com os quais a aprenderam e praticaram durante séculos.
>
> Morta, porém, a antiga civilização africana, após o cataclismo que destruiu a Lemúria, empobrecida e desprestigiada a raça negra — segundo algumas opiniões, devido à sua desmedida prepotência no passado, em que chegou a escravizar uma boa parte da raça branca —, os vários cultos e pompas religiosas daqueles povos sofreram então os efeitos do embrutecimento da raça, vindo, de degrau a degrau, até ao nível em que a Umbanda se nos tornou conhecida.[50]

Para Fernandes, em hipótese que não encontra qualquer respaldo etimológico, o próprio vocábulo "umbanda" seria referenciado no sânscrito *aum-bandhã*, significando algo como "Princípio Divino".[51] Finalmente, depois de começar pelo continente submergido da Lemúria, o congressista explicou por que o local de origem da umbanda não era a África, mas a Índia; chegando mesmo a defender que caboclos e pretos velhos eram antigos mestres hindus reencarnados no Brasil:

> Assim, as tradições da umbanda viriam da Índia e seus princípios estavam escritos nos Vedas. Os hindus nos ensinam a imortalidade da alma. Os Vedas dizem que todo o mundo é uma mistura de independência e dependência, mistura de

50 *Ibidem*, p. 20.
51 *Ibidem*, p. 23.

> liberdade e escravidão, porém através de tudo isso brilha a alma, independente, imortal, pura, perfeita, santa.[52]

Já o congressista Baptista de Oliveira, discordou da tese de que a umbanda teria vindo do Oriente, fosse do continente perdido de Lemúria ou do hinduísmo. Para ele, as origens da umbanda estariam nos primórdios do Egito faraônico. Ainda segundo o autor, as diversas invasões que o Egito sofreu levaram seus sacerdotes a se espalhar por inúmeros lugares. Ao entrar em contato com o que Baptista chama de religiões dos povos bárbaros do continente africano, abaixo do Saara, a sofisticação da religiosidade egípcia foi se deturpando. Recuperar esse espírito da alta ciência dos tempos dos faraós era a grande tarefa que à umbanda, que remotamente teria surgido entre as pirâmides egípcias, caberia.[53]

Outros delegados do Congresso, ao contrário de Fernandes e Baptista, reconheceram as origens remotas das umbandas na África subsaariana e ressaltaram o fato de que, em contato com o cristianismo, elas foram ganhando contornos menos primitivos, passando a se constituir como uma forma religiosa fundamentalmente brasileira. É ilustrativa dessa perspectiva a fala do congressista Jayme Madruga sobre os africanos:

> Tratava-se de fato de povos primitivos quanto à sua ilustração e à ciência dos povos ocidentais, faltavam-lhes os atavios

52 *Ibidem*, p. 142.

53 Baptista Oliveira, "Umbanda: suas origens, sua natureza e sua forma", 1942.

luxuosos e os palácios, faltavam-lhes a ambição de riquezas e os desvarios sensuais dos povos civilizados, faltavam-lhes finalmente o verniz que oculta a perfídia e a insinceridade. Mas sem academias, sem pompas e sem livros, a sua ciência era profunda, a sua medicina era de fato uma arte de curar, de dar alívio ao sofrimento do próximo sem objetivos de lucros; as suas religiões eram cultuadas com sinceridade e amor, suas leis poderiam ser primitivas, mas eram imparciais as suas manifestações e as suas organizações de família e de sociedade eram rígidas e severas, dentro dos seus objetivos e princípios.[54]

Em suma, no Congresso havia os que defendiam a origem não africana da umbanda, como é o caso de Diamantino Fernandes; os que defendiam uma origem africana, mas não da chamada África negra, como Baptista de Oliveira; e havia vários que admitiam a origem africana, mas consideravam que no Brasil, a partir do contato com o cristianismo e o kardecismo, a umbanda foi sendo depurada no caminho da desafricanização. A síntese dessa ideia está na tese que Martha Justina defendeu diante dos congressistas: a umbanda veio para dar um banho de civilização nos ritos bárbaros que os africanos praticavam. O arrazoado pode ser resumido no seguinte trecho:

> Todas as religiões foram trazidas de outros países; a Umbanda, por exemplo, foi trazida de África. A "Lei de Umbanda", trazida ao Brasil pelos africanos, era professada com "ritos

54 Jayme Madruga, "A liberdade religiosa no Brasil", 1942, p. 24.

> severos" da África; podemos mesmo dizer que continham rituais estranhos e horripilantes.[55]

É rigorosamente impossível compreender o congresso de 1941 e seus desdobramentos sem levar em consideração que o Brasil vivia, à época, a consolidação da ditadura do Estado Novo de Getúlio Vargas. Neste sentido, havia uma preocupação de ordem legal que buscava evitar o enquadramento da religião nos já citados artigos da lei de Contravenção Penal que penalizavam os procedimentos de cura enquadrados como curandeirismo. A legitimidade que os umbandistas buscavam trilhar implicava na elaboração de um discurso identitário que se afastasse de práticas terapêuticas de matriz africana e indígena, definidas comumente como fetichistas.

O kardecismo, ao bordar a doutrina com os fios do cientificismo, acabava abrindo espaço para a aceitação da umbanda em uma sociedade majoritariamente cristã. Ao mesmo tempo, em uma conjuntura marcada pelo avanço da urbanização, a umbanda seria capaz de depurar dos ritos algumas práticas eminentemente rurais, que não mais se justificariam em um contexto urbano. Foi Emanuel Zespo que resumiu isso ao dizer que não era mais concebível, por exemplo, ofertar um galo para Exu em alguma esquina do Rio de Janeiro, a capital da República: "tal rito, no mato, não estaria fora de ambiente, mas em plena Avenida Rio Branco isso não é mais exequível".[56]

---

55 *Ibidem*, p. 93.

56 Emanuel Zespo, *Codificação da Lei da Umbanda*, 1951, p. 54.

É sobretudo a partir da Era Vargas, portanto, que podemos entender a construção do discurso identitário que vê a umbanda como uma religião brasileira, em um contexto em que as lideranças do movimento umbandista constroem um processo que, para Renato Ortiz, rompe as fronteiras de um sincretismo espontâneo e promove certo sincretismo refletido. Tal fato é resultante da elaboração de uma costura mediada pelos intelectuais umbandistas entre as manifestações religiosas das culturas ameríndias, a influência da catequese jesuítica, os cultos de matriz africana, e a influência da doutrina kardecista.[57]

Para Motta de Oliveira, no instigante ensaio *Umbanda, entre a macumba e o espiritismo*:

> Isso significa, para Ortiz, que sem o movimento dos intelectuais, estabelecendo normas de orientação para religião, a umbanda não existiria, pois o que encontraríamos seriam somente manifestações heterogêneas de rituais de origem afro-brasileira. Por outro lado, o antropólogo argumenta também que sem a presença de uma herança cultural afro--brasileira não seria possível a bricolagem do pensamento kardecista sobre essa realidade.[58]

Em suma, o que se depreende das teses do I Congresso Brasileiro de Espiritismo de Umbanda é que a maioria dos

57 Renato Ortiz, *A morte branca do feiticeiro negro*, 1999.

58 José Henrique Motta Oliveira, "Entre a Macumba e o Espiritismo", 2009, p. 61.

umbandistas pretendiam unificar o culto e reconheciam a presença dos rituais afroindígenas na configuração da umbanda, mas lidavam com essa herança a partir de uma perspectiva evolucionista, embasada na doutrina kardecista.

Por este prisma, se o índio e o negro foram fundamentais para as raízes da formação da identidade brasileira, somente a partir do contato com a cultura ocidental, europeia, branca e cristã, ocorreu o aprimoramento capaz de transformar as heranças das florestas americanas e das praias africanas em civilização. A umbanda, em suma, seria filha da parte espiritual deste processo. Era exatamente assim, também, que o Estado Novo getulista propagava em suas cerimônias cívicas e em seus manuais de propaganda os fundamentos do ser brasileiro.

3. A PUREZA NAGÔ E A DEGRADAÇÃO BANTO

É INEVITÁVEL PENSAR que a tentativa de apagamento das práticas e sabedorias de linha afro-brasileira ganha, neste caso, uma dimensão ainda mais específica ligada à desqualificação, de forma mais efetiva, dos saberes e cosmopercepções dos bantos, povos que representariam cerca de 75% das africanas e africanos que entraram no Brasil como escravizados. Não foram apenas os intelectuais racistas formuladores das propostas de branqueamento racial ou os propagadores da mestiçagem hierarquizada e cordial que viram os povos bantos como dotados de um conjunto de práticas desprovidas de maior profundidade. Até mesmo intelectuais comprometidos com a valorização das culturas africanas para a formação da identidade brasileira consideraram os saberes e espiritualidades dos bantos menos sofisticados, complexos e elaborados do que os dos iorubás, que trouxeram ao Brasil o culto aos orixás.

Raimundo Nina Rodrigues, médico maranhense que estudou, na segunda metade do século XIX, a importância dos povos africanos na formação brasileira por um viés racista, ancorado na ideia da superioridade natural do homem branco, chegou mesmo a dizer que não encontrava qualquer vestígio entre os baianos de ideias religiosas provenientes dos bantos, no livro *O animismo fetichista dos negros baianos*:

> Debalde procurei entre os áfrico-baianos ideias religiosas pertencentes aos negros bantos. Até hoje não conheço um só negro que faça ideia sequer do que seja o morimô ou o Unkúlunkulú, dos Amazulús. Não pretendo que não existam na Bahía negros bantos, mas apenas que a julgar pelas formas religiosas persistentes não constituíram a procedência principal dos negros importados pelo tráfico.[59]

Edison Carneiro, o grande intelectual que bebeu na fonte dos estudos de Nina Rodrigues, refutou, ao contrário do maranhense, enfaticamente a tese da inferioridade dos negros em relação aos brancos. Mesmo assim, Carneiro também embarcou na onda de que as culturas bantos eram desprovidas de maior complexidade. Desmentiu Nina Rodrigues ao afirmar a forte presença dos bantos na Bahia, mas considerou sua cultura, marcante nos candomblés de caboclo, inferiores às culturas dos povos sudaneses que chegaram ao Brasil, especialmente os citados iorubás.

---

59 Raimundo Nina Rodrigues, *O animismo fetichista dos negros baianos*, 2005, p. 123.

> Foi a mítica pobríssima dos negros bantos que, fusionando-se com a mítica igualmente pobre do selvagem ameríndio, produziu os chamados candomblés de caboclo na Bahia. Estes candomblés são formas religiosas em franca decomposição. Contrariamente ao que se pensa, os bantos chegaram aqui em número considerável. Principalmente de Angola. O folclore regional está fortemente impregnado de elementos bantos, os cacumbis, o samba, a capoeira, o batuque os ranchos do boi, mas só mais tarde, possivelmente nos fins do século XIX, as sobrevivências mítico-religiosas bantos viriam à tona, sob a forma atual.[60]

Carneiro apontava como um elemento de degradação dos cultos a extrema maleabilidade dos bantos para incorporar elementos de culturas diferentes às suas próprias ritualísticas, que desta maneira iam se decompondo em uma série de ritos desprovidos de consistência, transitando entre o que o autor chama de imitação servil da liturgia jeje-nagô e cópias fiéis de sessões espíritas. Escapou ao intelectual que essa disponibilidade para a alteridade é fundamental para se entender as cosmopercepções dos bantos; é crucial, também, para a compreensão das complexidades do sincretismo.

O antropólogo francês Roger Bastide, que chega ao Brasil em 1938 para estudar as religiões afro-brasileiras e substituir Lévi-Strauss na cadeira de sociologia na USP, afirmou ter encontrado entre os descendentes de iorubás (nagôs), os

60 Edison Carneiro, *Religiões negras/Negros bantos*, 1981, pp. 24-25.

guardiões da pureza africana do rito, enquanto os bantos seriam aqueles que Bastide definiu como "donos do lúdico". Vai se formando assim, inclusive, uma certa linha de interpretação que vinculará a pureza dos ritos afro-brasileiros à Bahia, em virtude da presença dos iorubás, e a degradação dessa pureza às macumbas do Rio de Janeiro e de São Paulo, especialmente em virtude da preponderância nas últimas dos elementos bantos.[61]

Da Gomeia, o inclassificável Joãozinho

Um personagem que sofreu com esse preconceito, sendo diversas vezes desqualificado pelos adeptos da pureza nagô, foi o pai de santo Joãozinho da Gomeia, nascido na Bahia e iniciado no candomblé da linha Angola (banto), em 1931. Em 1948, Joãozinho saiu de Salvador e fixou-se em Duque de Caxias, na Baixada Fluminense, estado do Rio de Janeiro.

No fundamental livro *A cidade das mulheres*, a antropóloga norte-americana Ruth Landes, ao relatar o que observou em Salvador no final da década de 1930, descreveu Joãozinho como

> um simpático e jovem pai Congo, chamado João, que quase nada sabe e que ninguém leva a sério, nem mesmo as suas filhas de santo; (...) mas é um excelente dançarino e tem certo

61 Beatriz G. Dantas, *Vovó nagô e papai branco*, 1998.

> encanto. Todos sabem que é homossexual, pois espicha os cabelos compridos e duros e isso é blasfemo. – Qual! Como se pode deixar que um ferro quente toque a cabeça onde habita um santo![62]

Joãozinho da Gomeia, muitas vezes mencionado como João da Pedra Preta (nome do caboclo que incorporava), sofreu as mais diversas acusações: para os detratores, não era um legítimo herdeiro das tradições africanas, incorporava caboclos, afastava-se da liturgia em nome de um exibicionismo festeiro e não merecia ser considerado um sacerdote do culto aos orixás.

Ruth Landes relata que Martiniano Eliseu do Bonfim, sacerdote e um dos mais notáveis difusores da ideia da "pureza nagô" que deveria caracterizar o candomblé baiano, não aceitava que os homens dançassem para os orixás, pois isso seria indicativo de homossexualidade, e desqualificava os adeptos dos candomblés de caboclo como macumbeiros, já que misturavam práticas espíritas e umbandistas aos rituais africanos, atentando contra a pureza destes.[63]

No Rio de Janeiro, a fama do terreiro de Joãozinho cresceu a ponto de ele se transformar em uma figura nacionalmente conhecida. Recebeu a visita de políticos, artistas, embaixadores; participou como dançarino de shows em teatros e no Cassino da Urca (era considerado um excepcio-

---

62 Ruth Landes, *A cidade das mulheres*, 2002, p. 44.

63 *Ibidem*

nal bailarino), desfilou em escolas de samba, participou de concursos de fantasia, gravou discos como cantor, entoando cantos dos candomblés de Angola e de Ketu e pontos de caboclos e boiadeiros.

O já citado Bastide, no clássico *As religiões africanas no Brasil*, defendeu a ideia de que os cultos que se realizavam no Rio de Janeiro não eram candomblé, e sim macumba. O francês foi taxativo na desqualificação: "A macumba do Rio se desnatura, por conseguinte, cada vez mais. Acaba perdendo todo caráter religioso, para terminar em espetáculos ou se prolongar em pura 'magia negra'".[64] Sobre Joãozinho da Gomeia, um dos macumbeiros, Bastide ressalta que seu terreiro evolui mais para o espiritismo de umbanda (a expressão é exatamente essa) e desta forma fugiu das normas puramente africanas.[65]

Homenageado no desfile da escola de samba Acadêmicos do Grande Rio, no carnaval carioca de 2020, Joãozinho foi definido em versos do lindo samba de enredo da agremiação como pai mandingueiro, malandro, vedete, herói e faraó. Indígena, negro, encruzilhado por saberes e mandingas diversas, João foi mesmo tudo isso: da Pedra Preta, da Gomeia e do Brasil.

O que tiramos de tudo isso é que a desqualificação das ritualísticas bantos tinha mão dupla: por um lado, havia uma umbanda que tentava se afastar dos africanismos e afirmar

64 Roger Bastide, *As religiões africanas no Brasil*, 1989, p. 410.
65 *Ibidem.*

uma identidade prioritariamente cristã e kardecista, numa perspectiva em que as entidades africanas e indígenas seriam encaradas dentro de um processo evolutivo que as livraria dos supostos primitivismos. A umbanda, desta forma, se desvincularia da macumba, e teria como contraponto à sua essência os ritos que no Congresso de 1941 foram definidos como quimbandas e macumbas.

Por outro lado, produziu-se no pensamento social brasileiro, dedicado a refletir sobre a presença africana na formação do Brasil, uma visão dos bantos como instintivos, lúdicos, festeiros, excessivamente maleáveis, desprovidos de cosmovisão, excessivamente dados a sincretismos maculadores das tradições africanas. Como contraponto, ressaltou-se uma suposta maior complexidade, firmeza e sofisticação dos ritos iorubás configuradores dos candomblés africanos redimensionados na diáspora.

Aos bantos, portanto, parecia se reservar uma espécie de não lugar nas práticas espirituais e na própria formação da cultura brasileira: excessivamente africanos para os que queriam legitimar social e institucionalmente a umbanda como uma versão brasileira do cristianismo kardecista; pouco africanos, excessivamente rasurados e marcados pela impureza, para os adeptos do candomblé nagô. É entre essa maré alta e o rochedo que foi crescendo naqueles anos intensos uma proposta de culto explicitamente mais africanizada, que se autorreferenciava como umbanda por seus praticantes: o omolokô.

4. MACUMBAS DO RIO NEGRO

De forma geral, o omolokô desenvolveu-se especialmente no Rio de Janeiro, com ramificações na Zona da Mata de Minas Gerais, em algumas áreas do Espírito Santo e de São Paulo. Um dos mitos de origem do omolokô aponta que o culto teria sido introduzido no Rio de Janeiro, no final do século XVIII, por uma africana escravizada chamada Maria Batayo, fato que, todavia, carece de referências históricas mais precisas. Na tradição oral, consta que Batayo teria fundado o seu terreiro em 1867, no morro de São Carlos, no Estácio, tendo falecido em 1926, aos 129 anos de idade, depois de iniciar centenas de pessoas que espalharam os ritos pelo estado inteiro.

Há algumas controvérsias sobre a etimologia do nome Omolokô, e este debate está bem fundamentado no artigo que o sacerdote Mário Filho, do Templo Espiritual Pantera Negra e do Ilé Ifá Ajàgùnmàlè Olóòtọ̀ Aiyé, escreveu sobre o tema e embasa a perspectiva a seguir apresentada.[66]

---

66 O artigo do professor e sacerdote Mario Filho "O que é umbanda omolokô", está disponível em <templopanteranegra.com.br/umbanda-omoloko/>, *Templo Espiritual Pantera Negra*, s./d. Registre-se que o autor tem vasta produção sobre o tema, não só em textos escritos, mas também em vídeos disponíveis na rede, todos eles com informações de grande relevância para pesquisadores e religiosos.

O babalorixá Ornato José da Silva, em seu livro *Culto Omolokô: os filhos do Terreiro*, sugere que o nome tem origem iorubá e deriva da junção entre *Ọmọ* (filho) e *Oko* (fazenda). A fazenda faria remissão às zonas rurais onde as celebrações religiosas, por causa da repressão policial na primeira metade do século XX, eram realizadas. Mário Filho sugere no artigo referido talvez que, por causa disso, hoje temos as denominações de "Terreiro" e "Roça" para os lugares onde os cultos afro-brasileiros e de matriz africana são realizados.

Lokô pode ser referência à árvore do Irokô (orixá que no Brasil é representado pela gameleira-branca), em cruzamento com Lokô, um importante vodum dos candomblés jejes que habita algumas árvores. Pode ainda se referir ao orixá Okô, ligado no culto iorubá à terra e à agricultura. Há ainda quem busque uma etimologia que justifique uma possível origem do culto, em tempos remotos, entre africanos da cidade de Locojá, situada às margens do rio Mitombo, próxima ao reino iorubá, que como escravizados teriam trazido o culto ao Brasil.

Já Nei Lopes, pesquisador e conhecedor profundo das culturas bantos, sugere que o antigo omolokô teria raízes em remotos cultos bantos que se expandem no Rio de Janeiro, entre a segunda metade do século XIX e a primeira metade do século XX. A versão nos parece mais plausível, em virtude da marcante presença dos bantos na cidade. O nome, para Lopes, liga-se provavelmente ao quimbundo *muloko*, "juramento"; ou ao suto, *moloko*, "genealogia", "geração", "tribo". Na Angola anterior aos portugueses, Nganga-ia-Muloko era o sacerdote encarregado da proteção contra os raios.[67]

Um mergulho nos escritos de Tancredo da Silva Pinto, o Tata Tancredo, permite perceber que o omolokô que ele praticava amalgamava elementos da antiga cabula dos bantos, dos ritos aos orixás jeje-nagôs, das evocações aos espíritos de pretos velhos e caboclos e do catolicismo popular. Tancredo afirmava que as raízes fundamentais do omolokô estavam na cultura dos lunda-quiocos, bantos oriundos da costa angolana.

No livro *Kitábu: o livro do saber e do espírito negro-africanos*, é o já referenciado Nei Lopes que registra um precioso verbete sobre os rituais da cabula, sugerindo ser o omolokô um dos seus ramos. A citação é longa, mas fundamental:

> A Mesa e o Santé – a Cabula é uma confraria de irmãos devotados à invocação das almas, de cada um dos kimbula, os espíritos congos que metem medo. Também se dedica à comunicação com eles por meio do kambula, o desfalecimento, a síncope, o transe enfim. Toda confraria de cabulistas constitui uma mesa. O chefe de cada mesa é o embanda, a quem todos devem obedecer. Cada embanda é secundado por um cambone. A cabula é dirigida por um espírito, Tata, que encarna nos camanás, iniciados. Sua finalidade é o contato direto com o Santé, o conjunto de

---

67 Nei Lopes, *Enciclopédia brasileira da diáspora africana*, 2004.

espíritos da natureza que moram nas matas. Por isso, todos os camanás devem trabalhar e se esforçar para receber esse Santé, preparando-se mediante abstinência e penitências. Cada um dos espíritos que formam o Santé é um Tata. Todo camaná tem e recebe seu Tata protetor, seja ele o Tata Guerreiro, o Tata Flor de Carunga, o Tata Rompe Serra, o Tata Rompe Ponte. Na mata moram os Bacuros, anciãos, antepassados, que nunca encarnam. A reunião dos camanás forma a engira.

O omolocô é um ramo da cabula, da mesma forma que a cabula é um ramo do omolocô, ciência dos antigos nganga-ia-muloko, que controlavam a maldição dos raios. O omolocô tem Zambi como Entidade Suprema. E cultua entidades como Canjira, o senhor dos caminhos e da guerra; Quimboto, o dono da varíola e das doenças; Caiala, senhora do mar; Pomboê, dona dos raios; Zambanguri ou Sambariri, senhor do trovão; Quiximbi ou Mamãe Cinda, dona das águas doces.[68]

Nosso objetivo aqui não é estabelecer reflexões ou fechar questão em relação aos procedimentos ritualísticos do omolokô, nem mesmo entrar no mérito sobre se ele seria um ramo africanizado da umbanda, um culto com características próprias ou ainda uma espécie de mistura entre umbanda e candomblé, como certo senso comum parece sugerir.

---

68 Nei Lopes, *Kitábu*, 2005.

Mais relevante para a reflexão que proponho é situar o omolokô naquela conjuntura marcada por propostas de apagamento dos fundamentos afro da umbanda. Ao defender, nadando contra a corrente dos ideólogos da mestiçagem hierarquizada, uma umbanda fincada nas culturas da diáspora, predominantemente afroindígena, o omolokô negava os pressupostos do Congresso de 1941 e inseria-se em um contexto de vigorosa organização do movimento negro brasileiro, marcante desde o início da década de 1930 e especialmente forte no processo de redemocratização que se seguiu ao fim, em 1945, da ditadura do Estado Novo.

Negritude

Uma espécie de marco inicial deste processo de organização e lutas pode ser estabelecido na criação da Frente Negra Brasileira (FNB), em setembro de 1931, em São Paulo. A FNB funcionou até 1937, quando foi dissolvida no contexto do golpe de Estado que marcou o início do Estado Novo de Getúlio Vargas. Em 1943, foi criada em Porto Alegre a União dos Homens de Cor (UHC), a partir do Centro Espírita Jesus de Himalaia, com a finalidade de promover a assistência social entre os negros. A UHC reuniu em suas fileiras funcionários públicos, intelectuais, trabalhadores domésticos, profissionais liberais, e chegou a se espraiar por dez estados.[69]

69 Diversas informações sobre este momento na história do movimento negro podem ser consultadas no artigo de Joana Bahia e Farlen Nogueira, "Tem Angola na Umbanda?", 2018; e em textos diversos de Nei Lopes, dentre outros.

No ano seguinte ao da criação da União dos Homens de Cor, em 1944, Abdias Nascimento fundou no Rio de Janeiro o Teatro Experimental do Negro (TEN). O TEN expressou a profunda insatisfação de Abdias quanto à ausência do negro e da temática negra na dramaturgia brasileira. Além da dramaturgia, o TEN procurou se engajar na luta pela melhoria das condições de vida dos afro-brasileiros. O grupo organizou o Comitê Democrático Afro-Brasileiro, no processo de desmonte da ditadura de Getúlio, e a Convenção Nacional do Negro, que apresentou à Constituinte de 1946 um projeto que considerava a prática da discriminação racial um crime de lesa-pátria. O TEN publicou, entre os anos de 1948 e 1951, o jornal *Quilombo*, um dos vários publicados por uma imprensa negra bastante atuante na época, além de ter realizado, em 1950, o I Congresso do Negro Brasileiro.[70]

Em um romance marcado pelo viés histórico e memorialístico, Nei Lopes traçou, em *Rio Negro, 50*, um instigante painel sobre aquele momento de intensa mobilização da intelectualidade negra e das formas de sociabilidade que os descendentes de africanos engendraram. Foi aquele o contexto, por exemplo, da fundação do Clube Renascença, criado no dia 17 de fevereiro de 1951, por um grupo de negros de classe média que eram vetados nos clubes sociais frequentados por famílias brancas. O Renascença, a princípio, funcionou no Méier, bairro da Zona

70 Este é um período especialmente ativo da imprensa negra, com a publicação de jornais como *Novo Horizonte*, *Mundo Novo*, *A Tribuna Negra*, *Alvorada* etc.

Norte da cidade, até se transferir, em 1958, para a rua Barão de São Francisco, no Andaraí, onde está até hoje.[71]

No mesmo ano em que o Renascença surgiu, foi fundado na Zona Portuária do Rio de Janeiro o Afoxé Filhos de Gandhi, inspirado no afoxé baiano de mesmo nome, criado dois anos antes em Salvador, na Bahia. O afoxé carioca surgiu e se desenvolveu conectado a diversos terreiros de candomblé e umbanda. O Exu protetor do bloco, por exemplo, durante anos recebia oferendas e sacrifícios no sábado anterior ao carnaval na casa do famoso babalorixá Antenor Pereira Palma, mais conhecido como Nino d'Ogum.

Foi exatamente neste contexto de intensa mobilização no Rio Negro descrito por Nei Lopes que Tancredo da Silva Pinto fundou, em 1950, a Federação Espírita de Umbanda. O próprio Tancredo contou a história da fundação do órgão. Segundo disse, a ordem para que a instituição fosse criada

---

71 O Renascença continua sendo um clube social de referência para a cultura afro-carioca. Nos últimos anos, o local, carinhosamente chamado pelos cariocas de Rena, adquiriu centralidade na difusão das rodas de samba pela cidade em virtude do Samba do Trabalhador, idealizado pelo músico Moacyr Luz. Segundo reportagem do *UOL*, o primeiro encontro ocorreu "no dia 30 de maio de 2005, com a ideia de reunir, em plena tarde de segunda-feira, músicos que tinham agenda comprometida nos fins de semana. Dezenas de pessoas passaram a frequentar a festa improvisada e, em pouco tempo, o público passou à casa de 500. Como não havia cobrança de ingresso e a propaganda boca a boca foi intensa, logo foi preciso colocar ordem na casa e montar uma estrutura técnica e de pessoal para atender a multidão. O Samba do Trabalhador virou, assim, um empreendimento que hoje envolve a participação de cerca de 100 profissionais, entre bilheteiros, seguranças, garçons, técnicos de som e outros." Michel Alecrim, "Samba do Trabalhador celebra com show 15 anos de alegria às segundas-feiras", *UOL*, 13 mar. 2020.

partiu de Xangô, que baixou no Terreiro São Manuel da Luz, comandado por Olga da Mata, tia de Tancredo, em Duque de Caxias, e determinou que ele liderasse uma sociedade voltada para a proteção dos umbandistas.

Mas quem seria Tancredo da Silva Pinto, o Tata mais famoso do Omolokô? Tata, vale o registro, é título de grande sacerdote em cultos de origem angolo-congolesas (bantos), certamente vinculado ao termo multilinguístico *tata* (pai, no quimbundo e no quicongo).

Consta que ele nasceu no dia 10 de agosto de 1905, em Cantagalo, estado do Rio de Janeiro, filho de Belmiro da Silva Pinto e Edwirges de Miranda Pinto. Os poucos relatos existentes sobre ele indicam que o avô de Tancredo, Manoel Luís de Miranda, foi bamba do carnaval de Cantagalo, tendo fundado os blocos Avança e Treme-Terra e o Cordão Místico, uma mistura de carnaval, festa de caboclo e ritual africano; conforme relatado em 1976 na revista editada pela Congregação Espírita Umbandista do Brasil. Neste cordão, a tia de Tancredo, Olga da Mata, costumava desfilar vestida como Rainha Ginga.

Além de líder religioso, Tancredo foi músico e com positor. A iniciação na música veio com o pai, Belmiro, considerado um excelente violonista. Tancredo foi parceiro e gravou com Moreira da Silva, Blecaute, Zé Keti, Jorge Veiga e outros tantos. Conheceu a turma toda do Estácio e participou dos fuzuês que envolveram a criação da Deixa Falar, a mítica agremiação carnavalesca do bairro do Estácio de Sá, que teria recebido de Ismael Silva o título de primeira escola de samba.

Em 1952, Tancredo saiu da Federação Espírita de Umbanda e criou a Confederação Umbandista do Brasil, usando o dinheiro que tinha ganhado com os direitos autorais da música "General da banda", composição que fez em parceria com Sátiro de Melo e José Alcides. "General da banda", uma saudação ao orixá Ogum com referência às rodas de pernada, fez grande sucesso na voz de Blecaute:

Chegou o general da banda, ê, ê
Chegou o general da banda, ê, a
Chegou o general da banda, ê, ê
Chegou o general da banda, ê, a

Mourão, mourão
Vara madura que não cai
Mourão, mourão, mourão
Catuca por baixo que ele vai.[72]

A linha adotada pelos terreiros da Confederação Umbandista do Brasil foi na contramão da "umbanda branca"

---

72 "General da banda" é o maior sucesso de Tancredo Silva como compositor. A música foi registrada por diversos artistas, como Astrud Gilberto, Elis Regina e Nei Matogrosso. Tancredo ainda é o compositor daquele que é considerado um dos primeiros sambas de breque da história, "Jogo proibido", gravado em 1937 por Moreira da Silva. Na página *Discografia Brasileira*, do site do Instituto Moreira Salles, há uma página com registros fonográficos de diversos cantores interpretando canções de Tata Tancredo, disponível em <www.discografiabrasileira.com.br/artista/37422/tancredo-silva>.

que prevaleceu no I Congresso Brasileiro de Espiritismo de Umbanda, realizado em 1941. Enquanto este buscou unificar as práticas da umbanda a partir de uma desafricanização da ritualística, Tata Tancredo defendeu uma umbanda popular, fincada fortemente na tradição africana.

Tendas umbandistas ligadas, por exemplo, à Tenda Nossa Senhora da Piedade, de Zélio de Moraes, ou à Tenda Espírita Mirim, de Benjamin Figueiredo, defendiam uma ritualística que se afastava de características afro-brasileiras mais evidentes, como o uso de atabaques tradicionais, o sacrifício de animais, o uso de roupas coloridas ou a ligação com casas de candomblé, enquanto Tancredo, por outro lado, afirmava os fundamentos africanos da umbanda omolokô:

> Terreiro de Umbanda que não usar tambores e outros instrumentos rituais, que não cantar pontos em linguagem africana, que não oferecer sacrifício de preceito e nem preparar comida de santo, pode ser tudo, menos Terreiro de Umbanda.[73]

Refutando o omolokô, em uma entrevista dada no início da década de 1970, o próprio Zélio buscou afastar a etimologicamente provável origem banto para o culto. Diz ele que o nome original da religião é Alabanda: *Alá*, palavra árabe que designa Deus. Alabanda significaria, então, "do lado de Deus". Ainda na entrevista, Zélio diz que esse nome foi dado

---

73 Byron Torres de Freitas e Tancredo da Silva Pinto, *Camba de Umbanda*, 1956, p. 58.

pelo Caboclo das Sete Encruzilhadas, como uma homenagem a certo Orixá Mallet, que era malaio e muçulmano. No ano seguinte à anunciação, o Caboclo das Sete Encruzilhadas teria mudado o nome da religião de Alabanda para Aumbanda, substituindo a palavra árabe Deus (*Alá*) para a palavra grega com o mesmo significado (*Aum*).[74]

Enquanto alguns se empenhavam em desafricanizar o culto, outros buscavam ressaltar a ligação entre a umbanda e o candomblé a partir de origens africanas comuns. Tata Tancredo, nesta perspectiva, homenageou a grande yalorixá baiana Maria Bibiana do Espírito Santo, a Mãe Senhora, sacerdotisa do Ilê Axé Opô Afonjá, de Salvador. Em uma cerimônia realizada no estádio do Maracanã, sintomaticamente designada como "Você sabe o que é Umbanda? Macumba no Maracanã", Senhora recebeu o título de Mãe Preta do Brasil.

Foi ainda Tancredo o grande estimulador da ocupação das praias do Rio de Janeiro pelos umbandistas, na noite do dia 31 de dezembro. Para ele, a realização de festas públicas ajudava a divulgar a umbanda, fortalecia as redes de proteção social entre os seus membros e criava um ambiente socialmente mais favorável para os praticantes dos cultos afroindígenas.

Na década de 1950, Copacabana já era um símbolo de certo Rio de Janeiro boêmio, artístico e glamoroso. A presença dos umbandistas foi vista, portanto, com muitas ressalvas, a

---

74 Zélio de Moraes [entrevista de Jota Alves de Oliveira, 1970], *Registros de Umbanda*, "A ligação entre Zélio de Moraes e Benjamin Figueiredo", 5 mai. 2010, disponível em <registrosdeumbanda.wordpress.com/2010/05/05/a-ligacao-entre--zelio-de-moraes-e-benjamim-figueiredo/>.

ponto de o jornal *O Globo* alertar, na edição de 2 de janeiro de 1952, sobre os riscos que a presença de umbandistas causava, em virtude das velas acesas, que podiam até causar riscos de incêndios (o jornal, aparentemente, se incomodou com a terreirização da Princesinha do Mar e não ponderou que seria difícil imaginar algum incêndio causado por velas nas areias da praia). Anos depois, o réveillon na praia, com o uso das roupas brancas e queima de fogos, se transformou em um evento de grandes proporções da cultura carioca, chegando mesmo a afastar os terreiros da orla turística, que atualmente preferem fazer suas obrigações em praias mais distantes ou na véspera da virada do ano.[75]

Tancredo da Silva Pinto não se limitou a atuar no Rio de Janeiro e espalhou as macumbas pelo Brasil, realizando eventos em Minas Gerais, às margens da lagoa da Pampulha, em Pernambuco e no Rio Grande do Sul. Além de ter realizado uma gira de macumba no Maracanã, conforme citei anteriormente, Tancredo participou da "Festa da Fusão", quando rezou e cantou pontos de macumba no vão central da Ponte Rio-Niterói, para saudar a fusão do Estado da Guanabara com o Estado do Rio de Janeiro. Tudo isso foi marcado pelos laços de ligação que Tancredo costurou com políticos das mais distintas correntes, como Carlos Lacerda e Chagas Freitas.

O Tata manteve ainda uma coluna no jornal *O Dia* por duas décadas, escreveu mais de trinta livros e travou fortes

---

75 No dia 7 de outubro de 2015, escrevi curta crônica, "A invenção do ano-novo carioca", publicada no jornal *O Dia* sobre o réveillon carioca e o processo de afastamento dos umbandistas das praias.

debates com Wilson da Matta e Silva, sacerdote fundador da Tenda de Umbanda Oriental, em Itacuruçá, Rio de Janeiro e criador da primeira escola iniciática de umbanda esotérica do Brasil. Matta e Silva, escritor de grande repercussão nos meios umbandistas, acusava o omolokô de praticar não a umbanda, mas a magia negra, além de ser destituído de doutrina e esdrúxulo em seus rituais. Tancredo apontava a tentativa de desqualificar os componentes africanos do culto como um projeto de apagamento da influência do negro na formação da cultura brasileira.[76]

Tancredo da Silva Pinto morreu no dia primeiro de setembro de 1979. Deixou uma enorme quantidade de filhas e filhos de santo iniciados, e sua popularidade, sobretudo nas umbandas dos subúrbios mais distantes e da Baixada Fluminense, foi enorme.

Veemente nos contrapontos que propôs dentro de um debate mais amplo sobre o papel da umbanda na formação da cultura brasileira, foi um dos intelectuais brasileiros mais provocativos e instigantes, amplificando as vozes que, saídas das rodas de samba, dos terreiros, dos candomblés, carnavais, subúrbios, esquinas e encruzilhadas, construíram maneiras que, para um Brasil que se pretendia tributário da civilização europeia, desconcertavam em tudo aquilo que traziam de beleza desafiadora e de protagonismo da experiência do ser no mundo.

---

76 A Tenda de Umbanda Oriental funcionou ao longo de quatro décadas. Inicialmente se localizava na Pavuna, bairro da cidade do Rio de Janeiro, entre 1938 e 1957. De 1967 a 1988, a sede ficou em Itacuruçá, distrito do município de Mangaratiba, Rio de Janeiro.

FECHANDO A GIRA

NO FINAL DE 1999, o terreiro de candomblé Ilê Axé Abassá de Ogum, liderado pela yalorixá Gildásia dos Santos, conhecida como Mãe Gilda de Ogum, sofreu um ataque motivado por racismo religioso, em Salvador, Bahia.

O axé de Mãe Gilda foi invadido e depredado por fanáticos ligados à Igreja Universal do Reino de Deus (IURD). Na ocasião, os fundamentalistas espancaram o marido da sacerdotisa. Dois meses depois, um jornal da mesma igreja publicou uma foto de Mãe Gilda com uma tarja no rosto e a manchete: "Macumbeiros charlatões lesam a vida e o bolso de clientes". Ao ver a publicação, Mãe Gilda teve um ataque cardíaco fulminante e faleceu, no dia 21 de janeiro de 2000. Em homenagem à yalorixá, a data foi instituída como Dia Nacional de Combate à Intolerância Religiosa, em 2007, pelo então presidente Luiz Inácio Lula da Silva.

O que aconteceu com Mãe Gilda tem ares de crônica de uma morte anunciada. O avanço de certas designações neopentecostais, sobretudo a partir de meados da década de 1980, tem representado ameaças constantes aos povos de terreiro.

No Rio de Janeiro, a intolerância cresceu exponencialmente desde a fundação da Igreja Universal do Reino de Deus, no final da década de 1970; a mesma igreja dos assassinos de Mãe Gilda.

Ocorre no Brasil uma disputa escancarada pelo mercado da fé, diretamente vinculada ao aumento do número de fiéis de cada credo e com fortes repercussões na política institucional. Neste sentido, é recorrente que algumas instituições religiosas adotem como estratégia na disputa de mercado a destruição de outros laços de pertencimento, a partir de uma visão binária entre o bem e o mal.

A citada Igreja Universal do Reino de Deus arrebanhou parte significativa de seus fiéis entre umbandistas e candomblecistas. No embate ideológico para conquistar fiéis, foi lançado o livro *Orixás, caboclos e guias*, escrito por Edir Macedo, o fundador da IURD, e fundamentado na ideia de que as religiosidades afro-brasileiras, e os saberes a elas cruzados ou vinculados, são manifestações malignas que devem ser expurgadas ou domesticadas. Na divulgação do livro, edição de 1990, está escrito o seguinte:

> O bispo Macedo tem desencadeado uma verdadeira guerra santa contra toda obra do diabo. Neste livro, denuncia as manobras satânicas através do kardecismo, da umbanda, do candomblé e outras seitas similares; coloca a descoberto as verdadeiras intenções dos demônios que se fazem passar por orixás, exus, erês, e ensina a fórmula para que a pessoa se liberte do seu domínio.

Há uma instância de sociabilidade entre os membros da IURD que se estabelece, portanto, pela desqualificação de outras formas de sociabilidades e saberes. Ela é, inclusive, racista, já que opera no campo simbólico da depreciação das práticas e dos saberes não brancos.

O sobrinho do Bispo Macedo, Marcelo Crivella, comandou por dez anos rituais de exorcismo na África como bispo da IURD e, aos 40 anos, escreveu que "as tradições africanas permitem toda sorte de comportamento imoral, até mesmo com crianças de colo" e que "o diabo tem usado a palavra 'tradição', na África, como um belo embrulho de presente para disfarçar toda uma pilha de rituais perversos". Em um de seus livros, deu ainda o seguinte conselho a quem tem objetos sagrados africanos, afro-brasileiros, hindus ou indígenas: "Quebre completamente todos os laços com o seu passado. Destrua ou leve para a igreja todos os objetivos de feitiçaria, mutis, roupas, fotos, ossos, ishobas etc., para que os pastores destruam." As frases estão no livro *Evangelizando a África*, lançado pela Editora Gráfica Universal, edição de 2002.[77]

O bispo e exorcista Marcelo Crivella, em 2016, foi eleito prefeito do Rio de Janeiro, a cidade em que Tancredo da Silva Pinto viveu e se encantou.

A IURD não está sozinha em seu projeto necrocristão de aniquilação dos povos de terreiro. Diversas outras designações

77 As experiências de Crivella como exorcista na África e os livros que escreveu foram reportados em Fernando Molica, "Em livro, Crivella ataca religiões e homossexualidade: 'terrível mal'", *O Globo*, 16 out. 2016.

neopentecostais, com discursos de desqualificação das religiões afro-brasileiras similares aos da igreja do bispo Macedo, têm atuado sistematicamente no mesmo sentido, com consequências cada vez mais graves em todo o Brasil, estimulando destruições de terreiros e violências físicas.

Entre janeiro de 2015 e o primeiro semestre de 2017, foi constatada uma denúncia de ataque a cada 15 horas, segundo dados do Ministério dos Direitos Humanos (MDH) divulgados à época. De lá pra cá, os números de ataques só fizeram crescer. Em declaração ao site *G1*, em 22 de novembro de 2020, o professor e babalaô Ivanir dos Santos resumiu a situação:

> Os cultos afro-brasileiros eram caso de polícia até os anos 1920. Na década seguinte começou um movimento de aceitação. Mas dos anos 1990 para cá, com a ascensão das religiões neopentecostais, voltamos a sofrer uma perseguição política, de poder, de dominação. Até os anos 1980, éramos respeitados, ninguém destruía terreiros nem expulsava seguidores, principalmente do candomblé e da umbanda. Mas a partir do crescimento dos neopentecostais, inicia-se uma disputa de poder. Os pastores passam a entrar nos presídios, buscam a conversão de presos, se espalham pelas favelas, enquanto a espiritualidade africana começa a ser demonizada.[78]

78 Ivanir dos Santos [entrevista de Alba Valéria Mendonça], "Apesar de criação de delegacia, templos de religiões de matriz africana são atacados até durante a pandemia no RJ", *G1*, 22 nov. 2020.

Em janeiro de 2021, jornais noticiaram investigações da Polícia Civil sobre uma aliança entre milicianos e traficantes evangélicos de algumas regiões do Rio de Janeiro que se denominam como membros do "Complexo de Israel" (áreas de Brás de Pina, Vigário Geral, Parada de Lucas e Cidade Alta). Os traficantes cristãos proíbem a prática de religiões afro-brasileiras, expulsam pais e mães de santo das comunidades e chegam mesmo a proibir que moradores usem roupas brancas, por achar que elas representam a adesão à umbanda e ao candomblé.

Os bandidos do "Complexo de Israel" costumam usar símbolos, como a bandeira israelense e a estrela de davi, para demarcar o território dominado. Não custa lembrar que teorias difundidas por algumas correntes evangélicas pregam que a criação do Estado de Israel foi o prenúncio da volta de Jesus Cristo.

Enquanto mães e pais de santo eram expulsos de suas comunidades e tinham seus terreiros destruídos, no dia 10 de julho de 2019, em um culto da frente parlamentar evangélica realizado em um anfiteatro nas dependências da Câmara dos Deputados, o presidente de extrema-direita eleito no ano anterior, Jair Bolsonaro, declarou:

> O Estado é laico, mas nós somos cristãos. Ou, para plagiar a ministra Damares, nós somos terrivelmente cristãos. Poderei indicar dois ministros para o STF e um deles sera terrivelmente evangélico.

Saindo do culto, o presidente repetiu a promessa numa sessão solene da Câmara dos Deputados em homenagem aos 42 anos da Igreja Universal do Reino de Deus; a instituição que foi pivô da morte de Mãe Gilda de Ogum.

À guisa de fechamento da gira, é importante ressaltar que os ataques sistemáticos que os praticantes das religiões de terreiros vêm sofrendo no Brasil chocam pela virulência, mas não surpreendem. O racismo brasileiro sempre operou na desqualificação de bens simbólicos não brancos, às vezes de formas sutis e dissimuladas, às vezes como explícitas ações de aniquilação, além dos saberes, dos corpos em que eles se expressam. Tais fatos, por sua vez, têm despertado em praticantes das diversas sabenças encantadas brasileiras – umbandas, candomblés, encantarias, pajelanças etc. – a percepção de que estamos no mesmo barco. O naufrágio não seria de um, mas de todos.

Diversas articulações entre os povos de terreiro têm ocorrido e a consciência de que essa não é uma batalha que se vença solitariamente tem se aguçado. Só com a consciência de que é uma religião dinâmica – construída mais a partir de acúmulos diversos que de origens sedimentadas – em constante autoconstrução, pluricultural, ambientalmente responsável, é que a umbanda parece ter chances de oferecer respostas para os tempos desencantados que experimentamos.

No repertório da sabedoria dos bantos, tantas vezes citados neste trabalho, há um ditado em umbundo que diz *capwa kiso kutima oko cili*. Em tradução livre, *nao é porque não vivemos uma história que deixamos de senti-la*. São os mesmos bantos que afirmam, em suas filosofias, que o ser não se constrói a partir da oposição ao outro, mas a partir do contato com aquilo que no outro possa, afetivamente, lhe alterar em busca da constante renovação do sentido da vida como experiência de beleza, alegria e liberdade.

A batalha é política, contra um Brasil institucional fundado na colonialidade do terror e da exclusão social. A guerra é poética, contra os desmantelos do desencanto que produzem constantemente mortos em vida. No matulão de encantamentos que nos preparam para a disputa, as armas são as flechas dos caboclos, os laços dos boiadeiros, as rosas das moças, os pandeiros e saias coloridas das ciganas, os doces das crianças, as capas dos exus e os chapéus dos malandros: audaciosas tecnologias de combate para curar a dor do mundo e fazer o mundo virar.

Ao terminar de escrever a conclusão deste livro, de resto um mosaico de impressões sobre o Brasil como experiência de encanto e desconforto, ocorreu-me que a prosa talvez não dê conta de fechar o que aqui se expôs. Desta forma, o encerramento da gira larga a prosa e adere à poesia, terreno/terreiro mais afeito ao imponderável mundo que não se limita àquilo que se vê, dobra o tempo e desloca mulheres, homens, crianças, bichos, flores, águas, penas de arara, caldas de pavão, areias, pedras e ventanias, para o horizonte incontornável onde os mortos dançam e a vida, desta forma, surpreendentemente continua e continuará enquanto canta.

UMBANDAS

Sou filha da Santidade de Jaguaripe
Dos patuás para cortar quebrantos
Dos alufás saídos do Magrebe
E rituais de calundus dos bantos

Moro nas folhas de Luzia Pinta
E nas taperas das danças de tunda
Nos catimbós de Mestre Zé Pelintra
E nas novenas de Dona Raimunda

Vivo nas flechas que Caboclo Lírio
Lança ligeiras como as caninanas
Botei cocar num Cristo dos Martírios
Que enfeitei com folhas de imburana

Com os bacongos aprendi muginga
Com os mandingas, trancei miçangas
Vi os erês brincarem, cafuringas
Numa floresta de ibirapitangas

Risquei na pele o Cinco Salomão
E a estrela maga dos ciganos
Vi no bornal que tinha Lampião
A oração do bom samaritano

Pra São João eu acendi fogueira
Por Santo Antônio amarrei o burro

FECHANDO A GIRA

E assentei Exu numa tronqueira
Pra me livrar do vento do caturro

Terei essência? Não há quem descubra
Já que me aprumo na encruzilhada
E posso estar no toque da macumba
Ou numa roda de samba arretada

Eu sou aquela que você procura
E sou também o que o outro almeja
Jandaia canta na maior altura
Cobra sibila enquanto rasteja

Faço quizomba, leio o evangelho
Gosto de pinga e do cálix bento
Minha aringa é a de preto velho
Na tabatinga planto fundamento

Chamo Oyá pra encantar o vento
Navego a barca velha do marujo
Risco no ponto sete elementos
E dou um nó pra amarrar sabujo

Moro nos gomos de uma tangerina
Vivo nas pedras de uma fortaleza
Eu posso ser o sol que ilumina
Ou só a chama de uma vela acesa

Na miudeza da saia da moça
Mora o assombro da maior grandeza
Eu vivo em tudo que na vida possa
Aconchegar a busca da beleza.

Rio de Janeiro, julho de 2021.

ANEXOS

ORIXÁS: DO CANDOMBLÉ ÀS UMBANDAS

DESIGNAMOS COMO ORIXÁS divindades cultuadas na África pelo povo iorubá, que vive principalmente em regiões da Nigéria e do Benin. Grande ancestrais fundadores de clãs familiares, intermediários entre a divindade suprema e inalcançável – Olodumare – e a humanidade, os orixás têm suas histórias exemplares relatadas em longos poemas da criação que compõem o Ifá, um conjunto de sabedorias reveladas de forma oracular.

Chegando ao Brasil escravizados, sobretudo a partir do século XIX, os iorubás trouxeram para cá o culto aos orixás, redefinidos em terras brasileiras a partir da criação do candomblé. Podemos, em linhas gerais, estabelecer que existem três linhas mais marcantes do candomblé brasileiro, ainda que a de raízes iorubás seja a mais difundida e que entre elas haja bastante interação, inclusive em termos de procedimentos litúrgicos:

Ketu, de tradição iorubá, dos povos nagô; caracterizado pelo culto aos orixás.

Jeje, de tradição fon, dos povos jeje; caracterizado pelo culto aos voduns.

Angola, de tradição bacongo; caracterizado pelo culto aos inquices.

Saindo dos candomblés, o culto aos orixás apresenta-se em diversas umbandas – em maior ou menor escala – articulado também a conexões estabelecidas entre eles e as santas e santos do catolicismo. É importante mencionar ainda que nos candomblés a pessoa é iniciada no culto de determinado orixá (a iniciação é conduzida por consultas ao oráculo dos búzios), mediante um longo e complexo processo de consagração do corpo para que o orixá se manifeste através do transe. Nas umbandas, os orixás são encarados em geral como emanações de energias da natureza que são trazidas pelos espíritos guias; as entidades. São elas, e não os orixás, que incorporam, diretamente no corpo dos médiuns. É comum, portanto, que tenhamos um caboclo da falange de Ogum, uma cabocla da falange de Iemanjá; considerando que falanges são agrupamentos de espíritos com objetivos e emanações de energia comuns.

Processo marcado por nuances complexas, o sincretismo tanto pode ser visto como estratégia afrodiaspórica para cultuar suas divindades, como pode ser encarado como parte de um processo de conexões ligadas ao acúmulo de forças vitais, em uma encruzilhada sutil entre a africanização de procedimentos católicos e a cristianização de ritualísticas negras e indígenas. Algumas umbandas, que reivindicam uma construção da religião a partir de uma ligação mais direta com as referências africanas e indígenas e menos com as influências europeias, hoje elaboram reflexões sobre o sincretismo de maneiras mais críticas e contundentes.

A seguir, alguns detalhes mais gerais sobre alguns orixás e suas ligações mais comuns com o universo simbólico do culto aos santos cristãos.

Exu

Não se entende a amplitude do culto aos orixás sem uma compreensão do papel de Exu. Ele foi criado por Olodumare, o supremo criador, a partir da Érupé (lama), com o atributo de ser o grande Âgbá (ancestral). Sua função é a de dotar os seres de capacidade de movimento e poder de comunicação, sendo mesmo a energia que está presente em tudo que existe. É Exu quem estabelece as ligações entre o nosso mundo material e a dimensão em que vivem os orixás. Seus domínios se estendem sobretudo às ruas, portões, esquinas e encruzilhadas mundanas e ele foi comumente confundido, no imaginário cristão, com o demônio.

Para diversas linhas de umbanda, Exu é o protetor do povo de rua: prostitutas, malandros, boêmios, mendigos, errantes da noite. Outras linhas atribuem sentidos mais negativos aos exus, que seriam vistos como entidades de vida desregrada que teriam que passar pelo caminho da depuração de suas negatividades a partir da prática da caridade. Linhas de umbanda mais africanizadas têm buscado redimensionar as relações com a energia de Exu em uma perspectiva mais voltada para reconhecer nele a função de o grande mensageiro, dono do poder mágico e dos atributos do corpo.

Ogum e Oxóssi

Para os iorubás, Ogum é um orixá ligado às energias da metalurgia e da guerra. Em diversos mitos, Ogum foi um ferreiro que inventou em sua forja diversas ferramentas para lavrar a terra, como a enxada, o arado e o ancinho. Em outros, foi o guerreiro implacável que, portando o facão afiado, participou de inúmeras batalhas. É esta face de Ogum que acaba prevalecendo na diáspora, a do guerreiro inconteste.

Nas umbandas do Rio de Janeiro, acaba sendo aproximado a São Jorge, o santo guerreiro, militar do exército romano que, convertido ao cristianismo, foi martirizado a mando do imperador romano Diocleciano. Se no candomblé a cor de Ogum é em geral o azul-escuro (em virtude de sua aproximação com o ferro), nas umbandas que cruzam Ogum e São Jorge é comum que ele vista o vermelho e o branco, cores do manto do santo, e seja cultuado como o guerreiro que vence demandas.

Na Bahia, é mais comum a aproximação entre São Jorge e Oxóssi, o orixá cultuado nos candomblés como divindade da caça e da fartura, representado pelo ofá (o arco e flecha do caçador). Em seu mito mais famoso, Oxóssi matou com uma flechada o pássaro da maldade, enviado por poderosas feiticeiras para espalhar a fome entre o povo. É possível que a conexão entre o pássaro e o dragão da maldade, presente no imaginário acerca de São Jorge, explique os vínculos que os baianos estabelecem entre o orixá e o santo.

No Rio de Janeiro, Oxóssi é aproximado a São Sebastião, em provável conexão com o símbolo da flecha, sendo reverenciado no dia 20 de janeiro, data dedicada ao santo. Ele também é visto como um protetor dos indígenas. Um detalhe curioso dessa aproximação entre Oxóssi e São Sebastião está no fato de que a bateria da Portela, escola de samba das mais famosas do carnaval, foi batizada em um dia 20 de janeiro (dia de São Sebastião, padroeiro da cidade). Exatamente por isso, a bateria considera que Oxóssi é o seu padroeiro e, por essa razão, tem como um dos elementos mais característicos de sua performance sonora o toque do agueré, o ritmo destinado a Oxossi nos atabaques dos terreiros.

Xangô

Entre os iorubás, Xangô é o grande rei da cidade de Oyó. Orixá ligado à justiça, tem em seus mitos relatos diversos sobre suas sensualidade e sexualidade, tendo sido marido de Oxum, Iansã e Obá. É ainda muito relacionado aos ritos do fogo; em um de seus mitos mais famosos, ele adquire a capacidade de soprar o fogo pela boca. Um de seus elementos da natureza mais poderosos é a pedra de raio, e a sua grande festa nos candomblés costuma ser marcada pela presença da fogueira litúrgica.

Algumas umbanda aproximam Xangô de São Jerônimo, o santo católico que na juventude teve uma vida mundana, atribulada e cheio de amores, e que um dia sonhou com um batismo de fogo que queimou seus pecados. Passou anos refugiado, lendo e escrevendo, em um deserto na Síria, usando uma pedra como mesa de estudos. As analogias possíveis com o fogo – e a própria pedreira sendo vista como ligada a Xangô – apontam as pistas para a aproximação entre o orixá e o santo. Outras umbandas aproximam ainda Xangô de São João Batista, o primo de Jesus Cristo também muito ligado na tradição do cristianismo popular ao símbolo da fogueira.

Basicamente, conta-se que Maria engravidou de Jesus na mesma época em que Isabel, sua prima, engravidou de João Batista. Ambas, já com barrigas avantajadas que impediam a locomoção frequente, combinaram que aquela que parisse primeiro mandaria acender uma fogueira para que a outra, ao ver os fumos, soubesse do fato. Ao parir João, Isabel mandou que uma grande fogueira fosse acesa para comunicar o fato.

Omolu/Obaluaiê

Divindade cultuada no reino do Daomé, e incorporada ao conjunto de orixás do candomblé iorubá, Omolu está ligado fundamentalmente aos mistérios da doença e da cura. No Brasil, é comum que a emanação jovem de Omolu receba o título de Obaluaiê (o rei da Terra). Em um dos seus mitos mais conhecidos, contraiu varíola quando criança e, por isso, foi abandonado por Nanã, sua mãe, na beira de uma praia, onde foi adotado por Iemanjá. Para esconder as marcas da doença, passou a se cobrir com um filá de palha da costa (chamado de azé). Usa ainda um cetro de palha da costa (o xaxará) que espanta as doenças.

Nas umbandas, Omolu costuma ser aproximado especialmente a São Roque, cristão que, em peregrinação a Roma, foi contaminado por uma peste que arrasava a cidade. Para não contaminar ninguém, refugiou-se em uma floresta, onde teria sido alimentado milagrosamente, por um cachorro que lhe lavava pão e lambia suas feridas. Curado da doença, Roque virou médico e passou a tratar de outras vítimas da peste.

Tanto nos candomblés como nas umbandas, é comum se oferecer para Omolu pipocas e se realizar rituais de cura em que banhos de pipoca (que simbolicamente representariam as feridas estouradas da peste) afastam as doenças das pessoas.

Outro personagem muito ligado no imaginário umbandista a Omolu é Lázaro, o leproso, personagem de uma parábola de Jesus Cristo. Lazaro era um mendigo com o corpo coberto de feridas que se alimentava das migalhas caídas da mesa de um homem rico. Os cães costumavam se aproximar dele para lamber suas feridas. É comum que a figura de Lázaro, o leproso, seja confundida com São Lázaro de Betânia, irmão de Martha e Maria, que foi ressuscitado por Jesus Cristo e é celebrado no dia 17 de dezembro.

Em virtude da força de São Roque e de São Lázaro na cultura popular, disseminou-se entre nós a cerimônia do "banquete dos cachorros", que algumas umbandas mais antigas costumavam realizar. Como pagamento de graças alcançadas em relação à cura de doenças, a pessoa agraciada prepara um banquete na rua para que os cachorros possam se alimentar.

Oxum, Iemanjá, Nanã e Iansã

Dentre as orixás femininas (iabás) dos candomblés, Iemanjá, Oxum, Iansã e Nanã são as mais cultuadas nas umbandas.

Iemanjá, na África, é a divindade de um rio que leva o seu nome e se encontra com o mar. Para os iorubás, a divindade dos oceanos é Olocum. Na diáspora, Iemanjá acabou ocupando as funções de Olocum e sua importância no rito cresceu extraordinariamente. Vista como a grande mãe de diversos orixás, que teriam nascido do seu ventre, é poderosa como as águas dos oceanos.

Já Oxum é a orixá ligada no candomblé brasileiro às águas doces, ao amor e à maternidade. Veste-se de amarelo-ouro, gosta de joias, dança mirando-se em um ábébé, um leque que, em geral, traz um espelho no centro. As aproximações mais comuns que as umbandas fazem de Iemanjá e Oxum são com as manifestações de Nossa Senhora, em provável conexão com a maternidade encarnada na mãe de Jesus Cristo e nas maneiras como as deusas iorubanas foram vistas no imaginário popular.

Já Nanã é cultuada entre os africanos a partir do antigo reino do Daomé, entre os chamados povos jejes, como uma entidade primordial da Terra, de grande antiguidade. Ela forma entre os jejes uma tríade que envolve ainda Omolu (divindade que conhece os segredos da doença e da cura) e Oxumarê (divindade da serpente e do arco-íris). Na diáspora, o culto de Nanã ligou-se bastante ao do matriarcado das grandes anciãs, e ela chega a aparecer em diversos mitos como mãe de Omolu e Oxumarê. Nas umbandas mais sincréticas, costuma ser aproximada a Sant'Ana, mãe da Virgem Maria e avó de Jesus, certamente por conta da senioridade.

Iansã, entre os iorubás, é a deusa que comanda os grandes raios, ventos e tempestades, tendo ainda a função de conduzir os eguns (espíritos dos mortos) do ayê (nosso mundo) até o orum (mundo dos ancestrais). Nas umbandas, costuma ser aproximada a Santa Bárbara, em uma relação que parece ser de fácil explicação.

Os relatos mais populares sobre Santa Bárbara registram que ela nasceu no final do século III, na Nicomédia (Turquia). Por ter se convertido ao cristianismo, foi degolada pelo próprio pai, Dióscoro, que não admitia a religião da filha. No momento em que a cabeça de Bárbara foi arrancada e rolou no chão, um raio cortou o céu até então azul e fulminou Dióscoro, enquanto um trovão soou e uma ventania seguida de tempestade assombraram a região.

Vem certamente dessa confluência ligada aos elementos da natureza – raio, vento, tempestade — o contato entre a santa de Nicomédia e a deusa iorubana. As trajetórias das duas, todavia, apresentam notáveis diferenças. Santa Bárbara morreu virgem, recusou o casamento e os prazeres da carne em nome da fé e do amor a Jesus Cristo. Iansã é uma orixá dotada de grande sensualidade, que nos mitos foi a mulher apaixonada de Xangô e envolveu-se também com Ogum.

Ibeji

Entre os iorubás, Ibeji é a divindade gêmea que protege as crianças. Seu nome, inclusive, é formado pela junção de ibi (nascimento) e eji (dois). Em um dos mitos mais famosos sobre Ibeji, eles teriam sido filhos de Iansã, que acabou não os criando. Foram adotados por Oxum. É comum, inclusive, que em rituais para os Ibeji, Oxum também seja reverenciada. Os Ibeji são ligados ao lúdico, às alegrias e brincadeiras infantis.

No Brasil, é forte a ligação que se estabelece entre os Ibeji e Cosme e Damião, os santos gêmeos do cristianismo. Entre os iorubás, quando nascem gêmeos, a primeira criança gerada recebe o nome de Taiwo; a segunda é chamada de Kehinde. Idowu é o nome dado à criança que nasce após o parto de gêmeos. Por aqui, o irmão mais novo dos gêmeos africanos virou Doum e passou a ser cultuado, especialmente nos terreiros de umbanda, como o irmão mais novo de Cosme e Damião.

Em diversas casas umbandistas, Ibeji e Cosme e Damião são os protetores da falange de erê, formada pelos espíritos de crianças que chegam nas giras para brincar, comer doces, bolos e carurus, beber guaraná e trabalhar em ritualísticas de cura a partir da festa.

Oxalá

Para os iorubás, Oxalá é um orixá ligado aos mitos da criação do mundo e da humanidade. Costuma ser cultuado nos candomblés brasileiros ou em sua forma mais jovem, como um guerreiro (Oxaguian), ou como um sábio ancião (Oxalufan). Suas vestes são brancas e suas filhas e filhos evitam alimentos com azeite de dendê e sal (tabus presentes nos mitos sobre o orixá). Em diversas umbandas, a energia de Oxalá foi aproximada a de Jesus Cristo, em possível conexão com a aura de criador que Oxalá tem entre nós. É comum, nas casas mais fortemente marcadas pelo sincretismo, que estátuas de Jesus Cristo de braços abertos sejam vinculadas ao orixá iorubano.

SUGESTÕES DE MÚSICAS COM TEMÁTICAS AFRORRELIGIOSAS

Lps 78 Rotações

1. César Nunes – *Imitação d'um batuque africano* (78 rpm Victor 98.702, 1909).
2. Bahiano – *Sai exu* (Donga e Otávio Vianna) (78 rpm Odeon 122.144, 1922) – Jongo Africano.
3. Benício Barbosa e H. Chaves com a Orquestra Típica Oito Batutas – *Sai Exú* (Donga) (78 rpm Odeon 10.263, novembro de 1928) – Jongo.
4. Stefana de Macedo – *Batuque* (Dança do Quilombo dos Palmares) (78 rpm Columbia 5.093, novembro de 1929) – Dança.
5. *Filhos de Nagô – Candomblé – Oduré-Eriuá / Candomblé – Canto de Exu-Canto de Ogum* (Felipe Neri da Conceição) (78 rpm Parlophon 13.254, abril de 1931) – Macumba.
6. J.B. de Carvalho – *E vem o sol / Na minha terrera* (J.B. de Carvalho) (78 rpm Victor 33.420, 1931) – Macumba
7. Conjunto Tupy – *Cadê Viramundo?* (J.B. de Carvalho) (78 rpm Victor 33.459, 1931) – Macumba.

8. Conjunto Tupy – *Nego do pé espaiado* / *Rei de fogo* (J.B. de Carvalho) (78 rpm Victor 33.482, 1931) – Macumba/Jongo.
9. Conjunto Tupy – *Palavra de Caboco* (J.B. de Carvalho) Victor – 33.530 (1932) – Jongo.
10. Conjunto Tupy – *No terreiro de Alibibi* (Gastão Viana) / *Mironga de moça branca* (Gastão Viana e J.B. de Carvalho) (78 rpm Victor 33.586, 1932) – Macumba.
11. André Filho – *Anduê, Anduá* (Maximiniano F. da Costa) (78 rpm Parlophon 13.382, março de 1932) – Macumba.
12. Antonio Moreira (Mulatinho) com Gente do Amor – "Ererê" / "Rei de Umbanda" (de Getúlio Marinho Amor) (78 rpm Odeon 10.878, janeiro de 1932) – Pontos de Macumba.
13. Antonio Moreira (Mulatinho) com a Gente do Amor – "Auê" / "Cafioto" (Getulio Marinho Amor) (78 rpm Odeon 10.917, 1932) – Macumba.
14. Antonio Moreira (Mulatinho) com a Gente do Amor – "Na mata virgem" (Getúlio Marinho Amor) / "Aruê de Ganga" (Cícero de Almeida Bahiano) (78 rpm Odeon 10.925, novembro de 1932) – Macumba.
15. João Quilombô – *Pisa no toco* / *Quilombô* (Getulio Marinho Amor) (78 rpm Parlophon 13.400, 1932) – Ponto de Macumba.
16. Grupo da Guarda Velha com Zaíra de Oliveira e Francisco Sena – *Cadê Viramundo* (J.B. de Carvalho) (78 rpm Victor 33.507, g.12/1931, l.1932) – Macumba.

17. Grupo da Guarda Velha com Zaíra de Oliveira e Francisco Sena – *Que querê* (Donga, Pixinguinha, João da Baiana) (78 rpm Victor 33.509, janeiro de 1932) – Macumba.
18. Grupo da Guarda Velha com Zaíra de Oliveira e Francisco Sena – *Xou kuringa* (Pixinguinha, Donga, João da Baiana) (78 rpm Victor 33.573, maio de 1932) – Macumba.
19. Francisco Sena e Yolanda Osório com os Diabos do Céu – *Meus orixás* (Gastão Viana) / *Quem tá de ronda* (Príncipe Pretinho) (78 rpm Victor 33.953, 1933) – Macumba.
20. Aurora Miranda – *Mamãe Isabé* (Pixinguinha e João da Baiana) (78 rpm Odeon 11. 036, g.06/1933, l.07/1933) – Macumba.

As sugestões anteriores estão disponíveis para audição em <goma-laca.com/p/as-mais-antigas-gravacoes-de-temas--afrobrasileiros/>.

LPS e CDs (do acervo do autor)

21. Álbum: *Saravá*. Artista: Babá Okê Sussú. Selo: Imperial. Ano: 1953.
22. Álbum: *Macumba*. Artista: Heitor dos Prazeres e sua gente. Selo: Discos Rádio. Ano: 1955.
23. Álbum: *Pontos de macumba*. Artista: J.B de Carvalho. Selo: Musidisc. Ano: 1956.
24. Álbum: *Obaluayê*. Artista: Orquestra Afro-Brasileira Selo: Todamérica Ano: 1956.

25. Álbum: *Pai João D'Angola: No reino do Preto Velho.* Artistas: Zelador de Santo Dorico, com Ogan Durval de Souza e Coro da Tenda Virgem Maria de Belo Horizonte. Selo: Cáritas. Ano: 1960.
26. Álbum: *Melodias da Umbanda – Gente do Terreiro.* Artista: J.B de Carvalho. Selo: Philips. Ano: 1960.
27. Álbum: *Batuque.* Artista: JB de Carvalho. Selo: Philips. Ano: 1961.
28. Álbum: *Umbanda de todos nós.* Artistas: J. Bruno Magalhães e Olavo de Barros. Selo: Equipe. Ano: 1961.
29. Álbum: *Umbanda: abertura e encerramento de trabalhos.* Artista: Walter de Figueredo. Selo: Cartaz. Ano: 1963.
30. Álbum: *Xangô Dzakutá.* Artista: J.B. de Carvalho. Selo: Musicolor. Ano: 1968.
31. Álbum: *Sambas de roda e candomblés da Bahia.* Artistas: Mestre Bimba e Dona Olga de Alaketo. Selo: JS Discos. Ano: 1969.
32. Álbum: *Oxóssi Pena Branca.* Artista: J.B. de Carvalho e seu terreiro. Selo: Disco Lar Ano: 1969
33. Álbum: *Rei do Candomblé.* Artista: Joãozinho da Gomeia. Selo: Musicolor. Ano: 1969.
34. Álbum: *Natal e festas de Umbanda.* Artista: J.B. de Carvalho. Selo: Disco Lar. Ano: 1969.
35. Álbum: *Na magia de boiadeiro e baiano.* Artista: Nei Mutalambê e Zé de Odé. Selo: Universal Discos. Ano: 1970/1994.
36. Álbum: *Pontos de Terreiro.* Artista: Conjunto Folclórico Ibyara. Selo: Chantecler. Ano: 1970.

37. Álbum: *Macumba, Canjerê, Candomblé*. Artista: J.B. de Carvalho. Selo: Musicolor. Ano: 1970.
38. Álbum: *Sete Rei da Lira*. Artista: Cacilda de Assis. Selo: Odeon. Ano: 1971.
39. Álbum: *Cânticos de Terreiro*. Artista: Luiz da Muriçoca. Selo: Philipis. Ano: 1971.
40. Álbum: *Em tempo de macumba*. Artistas: João da Baiana, Heitor dos Prazeres, Ataulfo Alves, Jorge Fernandes. Selo: Fontana. Ano: 1972.
41. Álbum: *Os Tincoãs*. Artista: Os Tincoãs. Selo: Odeon. Ano: 1973.
42. Álbum: *Na gira dos caboclos*. Artistas: Avarese, J.Barroso, Alberto Paz, Cezar Cruz, João Ferreira, Sidney da Conceição, J.B. de Carvalho, Rubem Brasil, Neusa Lino, Dias da Cruz, Geraldo Gomes e Armando de Carvalho. Selo: Chantecler Ano: 1974.
43. Álbum: *Na gira dos exus*. Artistas: JB de Carvalho e outros. Selo: Alvorada. Ano: 1974.
44. Álbum: *Faramin Ibejada*. Artista: Membros da Tenda Espírita Divino Espírito Santo e do Terreiro do Caboclo Cobra Coral. Selo: Tapecar. Ano: 1977.
45. Álbum: *Canto de fé*. Artistas: Diversos. Selo: Soma Som Livre. Ano: 1977.
46. Álbum: *A brasileiríssima Cacilda de Assis*. Artista: Jorge Ogan. Selo: Iris. Ano: 1978.
47. Álbum: *Gira Umbanda*. Artista: Médiuns da Tenda Espírita São Sebastião. Selo: Cid. Ano: 1979.
48. Álbum: *Pombagira*. Artista: Ogan Paulinho. Selo: Universal Records. Ano: 1981.

49. Álbum: *O canto dos escravos*. Artistas: Clementina de Jesus, Geraldo Filme e Tia Doca. Selo: Eldorado Ano: 1982.
50. Álbum: *Salve o caboclo boiadeiro*. Artista: Miguel de Tempo "Deuandá". Selo: Fermata. Ano: 1984.
51. Álbum: *Tambor de Mina pra virada da mata Artista*: Fanti Ashanti. Selo: Independente.
52. Álbum: *Baião de Princesas*. Artistas: Fanti Ashanti e A Barca. Selo: CPC-UMES Ano: 2002.
53. Álbum: *Cantigas de Angola*. Artista: Mametu Mabeji, do terreiro do Bate Folha/ Kupapa Unsaba. Selo: Independente. Ano: 2005.
54. Álbum: *Tecnomacumba*. Artista: Rita Benneditto. Selo: Biscoito Fino. Ano: 2006.
55. Álbum: *Redandá / Candomblé Angola*. Artista: Templo de Cultura Bantu Redandá. Compact Disc. Selo: Independente / A Barca Ano: 2007.
56. Álbum: *Capoeira de Besouro*. Artista: Paulo Cesar Pinheiro. Selo: Quitanda. Ano: 2010.
57. Álbum: *Ascensão*. Artista: Serena Assumpção. Selo: Sesc. Ano: 2016.
58. Álbum: *Macumbas e catimbós*. Artista: Alessandra Leão. Selo: YB Music. Ano: 2019.
59. Álbum: *Dos Santos*. Artista: Fabiana Cozza. Selo: Agô Produções. Ano: 2020.
60. Álbum: *Macumbeira*. Artista: Jéssica Ellen. Selo: Independente. Ano: 2021.
61. Álbum: *Pontos de Tranca Rua*. Artista: Lucio Sanfilippo. Ano: 2021.

Sugestão de *playlist* com canções da música popular brasileira ligadas à temática do livro:

1. "Umbanda nossa" (Martinho da Vila). Intérprete: Martinho da Vila.
2. "Festa de Umbanda" (Domínio Público). Intérprete: Martinho da Vila.
3. "Sindorerê" (Candeia). Intérprete : Clara Nunes.
4. "Saudação a Toco Preto" (Domínio Público). Intérprete: Candeia.
5. "Falange do Erê" (Arlindo Cruz / Jorge Carioca e Aluísio Machado). Intérprete: Zeca Pagodinho.
6. "Minha fé" (Murilão). Intérprete: Zeca Pagodinho.
7. "Falso Pai de Santo"/ "Perna de calça" (Monarco/ Betinho da Balança). Intérprete: Monarco.
8. "Caboclo Guaracy" (Paulo César Pinheiro). Intérprete: Gloria Bonfim.
9. "Prece a Xangô" (Nelson Rufino e Zé Luiz). Intérprete: Roberto Ribeiro.
10. "Banho de Manjericão" (João Nogueira e Paulo Cesar Pinheiro). Intérprete: Clara Nunes.
11. "O misticismo da África ao Brasil" (Marinho da Muda, João Galvão e Wilmar Costa). Intérprete: Clara Nunes. Samba de enredo do GRES Império da Tijuca – Carnaval de 1971.
12. "Os Santos que a África não viu" (Helinho 107, Mais Velho, Rocco Filho e Roxidiê). Intérprete: Nêgo. Samba-enredo do GRES Acadêmicos do Grande Rio – Carnaval de 1994.

13. "Tata Londirá: O canto do Caboclo no Quilombo de Caxias" (Derê, Robson Moratelli, Rafael Ribeiro e Toni Vietnã). Intérprete: Evandro Malandro. Samba de enredo do GRES Acadêmicos do Grande Rio – Carnaval de 2020.
14. "A Ópera dos Malandros" (Marcelo Motta, Fred Camacho, Guinga, Getúlio Coelho, Ricardo Fernandes e Francisco Aquino). Intérpretes: Xandy de Pilares, Leonardo Bessa e Serginho do Porto. Samba de enredo do GRES Acadêmicos do Salgueiro – Carnaval de 2016.
15. "Candeeiro da Vovó" (Dona Ivone Lara e Délcio Carvalho). Intérprete: Dona Ivone Lara.
16. "Homem das ruas" (Arino Ganga, Muniz e Alamir). Intérprete: Grupo Raça.
17. "Ogum de Malê" (Laesse Miranda e Antonio Nunes) Intérprete: Jackson do Pandeiro.
18. "Lendas da Mata" (João Martins e Raul Di Caprio). Intérprete: João Martins.
19. "Cabocla Jurema" (Domínio Público. Adaptação: Rosinha de Valença). Intérprete: Maria Bethânia.
20. "Quem me guia" (Beto Sem Braço e Serginho Meriti). Intérprete: Almir Guineto.

AGRADECIMENTOS

ESTE TRABALHO É devedor da colaboração de uma grande quantidade de pessoas. Muitas delas talvez não saibam da importância que tiveram, em conversas até mesmo informais, para que eu pudesse escrever sobre as umbandas. Alberto Mussa foi entusiasta da ideia e parceiro de inúmeras histórias envolvendo o ambiente dos terreiros. Luiz Rufino foi interlocutor constante, no cotidiano e ao longo de trabalhos que realizamos em parceria. As conversas informais – são as melhores – com o sacerdote de umbanda Tadeu Navalha sempre acrescentaram bastante. Rafael Haddock-Lobo, parceiro de escritas e canções, também é outro interlocutor constante. Barão do Pandeiro foi fundamental, com informações, documentos inéditos e dicas sobre o cancioneiro das macumbas brasileiras. Candida Carneiro é o esteio de tudo, meu amor e meu equilíbrio. Livia Vianna, minha editora, foi entusiasta desde a primeira hora do projeto, na continuidade de uma parceria assentada em *O corpo encantado das ruas*. De São Paulo, Pai David Dias e Renata Pallotinni foram parceiros de Bar Madrid e de conversas virtuais envolvendo os dilemas das umbandas em um país estruturalmente racista, além de produzir conteúdo de qualidade sobre o assunto. Renzo Carvalho é um jovem e arguto estudioso das africanidades presentes nas umbandas e usa as redes sociais para desenvolver um trabalho sério e consistente, com mergulhos bastante profundos na cosmogonia dos bantos. Na figura dele, agradeço a toda a juventude da umbanda que vem pesquisando e produzindo conteúdo de qualidade. Pai Alexandre Cumino me deu a honra de trocar ideias durante um curso que ministrei online, além de produzir conteúdo abundante nas redes. Pai Magnun Amado me convidou para dialogar com umbandistas de Macaé e a troca de ideias foi bastante interessante para me sugerir reflexões. Ao longo de três anos de uma coluna que escrevi para o jornal *O Dia*, mantive interlocuções com umbandistas que, até mesmo sem sentir, me municiaram gentilmente com informações advindas da troca de experiências. Minha mãe, Niedja, e minha tia, Nadja, trazem a memória dos candomblés nagôs do Recife, das encantarias de Santo Crioulo e de toda a longa trajetória da Tenda Umbandista Nossa Senhora da Conceição, que marcou a história da umbanda em Nova Iguaçu. A força espiritual de Dona Haydeé da Silva Grosso, a Mãe Deda, me estimulou a prosseguir neste trabalho, que é sobretudo uma maneira de homenageá-la.

REFERÊNCIAS BIBLIOGRÁFICAS

ALBUQUERQUE, Maria Betânia B. e FARO, Mayra Cristina Silva. "Saberes da cura: um estudo sobre pajelança cabocla e mulheres pajés da Amazônia". *Revista Brasileira de História das Religiões*, Anpuh, 2012.

ALMEIDA, Silvio. *Racismo estrutural.* São Paulo: Editora Jandaíra, 2018.

ANAIS DO CONGRESSO BRASILEIRO DO ESPIRITISMO DE UMBANDA. Rio de Janeiro: Federação Espírita de Umbanda, 1942.

BASTIDE, Roger. *As religiões africanas no Brasil.* São Paulo: Pioneira, 1989.

______. *O candomblé da Bahia: rito nagô.* São Paulo: Companhia das Letras, 2009.

BERTOLOSSI, Leonardo Carvalho. "A medicina mágica das bolsas de mandinga no Brasil". *Anais do XII Encontro Regional de História.* Rio de Janeiro: Anpuh/RJ, s./d.

BIRMAN, Patrícia. *O que é umbanda.* São Paulo: Brasiliense, 1983.

BROWN, Diana. *Umbanda: Religion and Politics in Urban Brazil.* Michigan: University of Michigan Press, 1986.

______. "Uma história da umbanda no Rio". In: BROWN, D. *Umbanda e política.* Rio de Janeiro: Marco Zero, 1985.

CALAINHO, Daniela. *Metrópole das mandingas: religiosidade negra e inquisição portuguesa no Antigo Regime.* Tese de doutorado. Niterói: Instituto de Ciências Humanas e Filosofia, Universidade Federal Fluminense, 2000.

CAPONE, Stefania. *A busca da África no candomblé: tradição e poder no Brasil.* Rio de Janeiro: Contra Capa e Pallas, 2004.

CARNEIRO, Edison. *Religiões negras / Negros bantos*. Rio de Janeiro: Civilização Brasileira, 1981.

______. *Candomblés da Bahia*. Rio de Janeiro: Andes, 1954.

CASCUDO, Luís da Câmara. *Dicionário do folclore brasileiro*. São Paulo: Melhoramentos, 1980.

CASTRO, Yeda Pessoa de. *Falares africanos na Bahia: um vocabulário afro-brasileiro*. Rio de Janeiro: Topbooks, 2001.

DAIBERT, Robert. "A religião dos bantos: novas leituras sobre o calundu no Brasil colonial". *Revista Estudos Históricos*. Rio de Janeiro, 2015.

DANTAS, Beatriz G. *Vovó nagô e papai branco: uso e abuso da África no Brasil.* Rio de Janeiro: Graal, 1998.

DECELSO, Celso Rosa. *Umbanda de caboclos*. Rio de Janeiro: Editora Eco, 1967.

ELIADE, Mircea. *Mito e realidade*. São Paulo: Perspectiva, 2000.

FANON, Frantz. *Pele negra, máscaras brancas*. Salvador: EDUFBA, 2008.

FARELLI, Maria Helena. *Zé Pelintra, o rei da malandragem*. Rio de Janeiro: Cátedra, 1987.

FERNANDES, Diamantino Coelho. "O Espiritismo de Umbanda na evolução dos povos". *Anais do Congresso Brasileiro do Espiritismo de Umbanda*. Rio de Janeiro: Federação Espírita de Umbanda, 1942.

FERREIRA, Roquinaldo. "Ilhas Crioulas": o significado plural da mestiçagem Cultural na África Atlântica. *Revista de História*, n. 155, 2006, pp. 17-41.

FREITAS, Byron Torres de e PINTO, Tancredo da Silva. *Camba de Umbanda*. Rio de Janeiro: Editora Souza, 1956.

FREYRE, Gilberto. *Casa-grande & senzala*. São Paulo: Global Editora. 2003.

FU-KIAU, Kimnwandènde K.B. *Self-healing Power and Therapy*. Nova York: Vintage Press, 1991.

GAMA, Elizabeth Castelano. *Mulato, homossexual e macumbeiro. Que rei é este? Trajetória de Joãozinho da Gomeia.* Dissertação de mestrado. Niterói: Instituto de Ciências Humanas e Filosofia, Universidade Federal Fluminense, 2012.

GIRARDET, Raoul. *Mitos e mitologias políticas.* São Paulo: Companhia das Letras, 1987.

JUSTINA, Martha. "Atualidade da Lei de Umbanda". *Anais do Congresso Brasileiro do Espiritismo de Umbanda.* Rio de Janeiro: Federação Espírita de Umbanda,1942.

LANDES, Ruth. *A cidade das mulheres.* Rio de Janeiro: Editora UFRJ, 2002.

LIGIÉRO, Zeca e DANDARA. *Iniciação à umbanda.* Rio de Janeiro: Pallas, 2018.

LIMA, Zeneida. *O mundo místico dos caruanas da Ilha do Marajó.* Belém: Cejup, 2002.

______. *Dicionário banto do Brasil.* Rio de Janeiro: Pallas, 2003.

______. *Enciclopédia brasileira da diáspora africana.* São Paulo: Selo Negro, 2004.

______. *Kitábu: o livro do saber e do espírito negro-africanos.* Rio de Janeiro: Senac, 2005.

LOPES, Nei. *Bantos, malês e identidades negras.* Belo Horizonte: Autêntica, 2008.

LOPES, Nei e SIMAS, Luiz Antonio. *Filosofias africanas: uma introdução.* Rio de Janeiro: Civilização Brasileira, 2020.

PRANDI, Reginaldo. Mitologia dos orixás. São Paulo: Companhia das Letras, 2001.

______. (org). *Encantaria brasileira: o livro dos mestres, caboclos e encantados.* Rio de Janeiro: Pallas, 2001.

MADRUGA, Jayme. "A liberdade religiosa no Brasil". *Anais do Congresso Brasileiro do Espiritismo de Umbanda.* Rio de Janeiro: Federação Espírita de Umbanda, 1942.

MARCUSSI, Alexandre. "Estratégias de mediação simbólica em um calundu colonial". *Revista de História da USP*. São Paulo: Universidade de São Paulo, 2006.

MARQUES PEREIRA, Nuno. *Compêndio narrativo do peregrino da América*. Rio de Janeiro: Acadêmica Brasileira de Letras, v. 1, 1939.

MELLO, Frederico Pernambucano de. *Estrela de couro: a estética do cangaço*. São Paulo: Escrituras, 2012.

MÉTRAUX, Alfredo. *A religião dos tupinambás*. São Paulo: Companhia Editora Nacional, 1979.

MONTEIRO, Mário Ypiranga. *História da cultura amazonense*. Manaus: Fundo Municipal de Cultura, 2016.

______. *Rosa egipcíaca*. Rio de Janeiro: Bertrand, 1992.

______. "Acotundá: raízes setecentistas do sincretismo religioso afro-brasileiro". *Anais do Museu Paulista*, v. 31. São Paulo, 1996.

MOTT, Luiz. "Cotidiano e vivência religiosa: entre a capela e o calundu". In: SOUZA, Laura de Mello e (org). *História da vida privada no Brasil*. São Paulo: Companhia de Letras, 1997.

MUNANGA, Kabengele. *Rediscutindo a mestiçagem no Brasil*. Petrópolis: Vozes, 1999.

OLIVEIRA, Baptista. "Umbanda: suas origens, sua natureza e sua forma". *Anais do Congresso Brasileiro do Espiritismo de Umbanda*. Rio de Janeiro: Federação Espírita de Umbanda,1942.

OLIVEIRA, José Henrique Motta. *Das Macumbas à Umbanda: uma análise histórica da construção de uma religião brasileira*. Limeira: Conhecimento, 2008.

ORTIZ, Renato. *A morte branca do feiticeiro negro*. São Paulo: Brasiliense, 1999.

RODRIGUES, Raimundo Nina. *O animismo fetichista dos negros baianos. Capítulo IV. Cerimônias do culto fetichista; candomblés, sacrifícios, ritos funerários*. Rio de Janeiro: Sociedade – Revista Brasileira, 1896.

SILVA, Ornato José da. *Culto Omoloko: os filhos do Terreiro*. Rio de Janeiro: Rabaço Editora, 1980.

______. *Pedrinhas miudinhas: ensaios sobre ruas, aldeias e terreiros*. Rio de Janeiro: Mórula, 2013.

SIMAS, Luiz Antonio. *Almanaque Brasilidades: um inventário do Brasil popular*. Rio de Janeiro: Verso Brasil, 2018.

______. *O corpo encantado das ruas*. Rio de Janeiro: Civilização Brasileira, 2019.

______. e RUFINO, Luiz. *Fogo no mato: a ciência encantada das macumbas*. Rio de Janeiro: Mórula, 2018.

SIQUEIRA, Paulo. *Vida e morte de Joãozinho da Goméia*. Rio de Janeiro: Nautilus, 1971.

SLENES, Robert. "Jongueiros cumba na senzala centro-africana". In: LARA, Silvia H. e PACHECO, Gustavo. *Jongo: as gravações históricas de Stanley J. Stein*. Rio de Janeiro: Folha Seca, 2007.

SOUZA, Laura de Mello e. *O diabo e a Terra de Santa Cruz: feitiçaria e religiosidade popular no Brasil colonial*. São Paulo: Companhia das Letras, 1986.

______. *Inferno atlântico*. São Paulo: Companhia das Letras, 1993.

______. Revisitando o calundu. In: GORENSTEIN, Lima e CARNEIRO e TUCCI, Maria Luiza (orgs.). *Ensaios sobre a intolerância: inquisição, marranismo e anti-semitismo*. São Paulo: Humanitas, 2002.

SWEET, James. *Recriar África: cultura, parentesco e religião no mundo afro-português*. Lisboa: Edições 70, 2007.

VAINFAS, Ronaldo. *A heresia dos índios*. São Paulo: Companhia das Letras, 1995.

______ e SOUZA, Juliana B. *Brasil de todos os santos*. Rio de Janeiro: Jorge Zahar Editor, 2000.

VIANNA, Oliveira. *Evolução do povo brasileiro*. Rio de Janeiro: José Olympio, 1956.

ZESPO, Emanuel. *Codificação da Lei da Umbanda*. Rio de Janeiro: Edição do autor, 1951.

INTERNET

BAHIA, Joana; NOGUEIRA, Farlen. "Tem Angola na umbanda? Os usos da África pela Umbanda Omolocô". *Revista Transversos*. "Dossiê: Histórias e Culturas Afro-Brasileiras e Indígenas — 10 anos da Lei 11.645/08". Rio de Janeiro, n. 13, mai-ago, 2018, pp. 53-78. Disponível em: <DOI:10.12957/transversos.2018.29342>.

FILHO, Mário. "Tata Tancredo da Silva Pinto: pequena biografia". *Templo Pantera Negra*, s./d. Disponível em: <templopanteranegra.com.br/umbanda-omoloko/tata-tancredo-da-silva-pinto-pequena-biografia--do-fundador-da-umbanda-omoloko/>.

MORAES, Zélio de. Entrevista com Zélio de Moraes [1961]. *Umbanda livre*, s/d. Disponível em <podtail.com/podcast/umbanda-livre/entrevista-com-zelio-de-moraes-1961/>.

MOTTA DE OLIVEIRA, José Henrique. "Entre a Macumba e o Espiritismo: uma análise do discurso dos intelectuais de umbanda durante o Estado Novo". *Revista Eletrônica de Ciências Sociais*, n. 14, set. 2009, pp. 60-85. Disponível em <periodicos.ufpb.br/index.php/caos/article/view/46953/28196>.

______. "O que é umbanda omolokô?". *Templo Pantera Negra*, s./d. Disponível em: <templopanteranegra.com.br/umbanda-omoloko/>.

HORTÊNCIO, Luciano. Tata Tancredo, sambista, compositor e patriarca do omolokô. Disponível em: jornalggn.com.br/memoria/xaxa-tancredo-sambista-compositor-e-patriarca-do-omoloko/

O texto deste livro foi composto em Adobe Garamond Pro, em corpo 12/15,7.

A impressão se deu sobre papel off-white pelo Sistema Cameron da Divisão Gráfica da Distribuidora Record.